Bernt Engelmann

SCHWARZ BUCH

Das Kohl & Co-Komplott

Steidl Verlag

Bitte fordern Sie unser kostenloses Gesamtverzeichnis an!

1. Auflage September 1986
© Copyright: Steidl Verlag, Göttingen 1986

Fotos: Seite 13: Steidl, Seite 14: Klaus Staeck, Seite 65 ff. Bernt
Engelmann (Archiv), Seite 23, 36, 74, 94, 103, 112, 133: dpa,
Seite 34, 49, 54: Karl Heinz Abel, Seite 61, 80: Deutscher Bundestag
Umschlaggestaltung: Klaus Staeck/Gerhard Steidl
Gesamtherstellung: Steidl, Druckerei und Verlag,
Düstere Straße 4, 3400 Göttingen
ISBN 3-88243-066-4

Inhalt

Um was es geht

Dieses Schwarzbuch – das sechste seit 1972 – wendet sich an die Wählerinnen und Wähler, besonders an diejenigen, die im Herbst 1986 und im Januar 1987 erstmals an Wahlen teilnehmen können. Es enthält die Hintergrundinformationen, die sie brauchen, um die für sie richtige Wahlentscheidung zu treffen und den Propagandalügen, die auf sie einprasseln werden, nicht aufzusitzen.

An Wahlpropaganda der regierenden Konservativen wird es nicht fehlen. Mit sehr viel Geld aus Industriespenden und Steuermitteln werden sie versuchen, die vielen Skandale, Affären und Pannen, die die »geistig-moralische Wende« bislang begleitet haben, ebenso in Vergessenheit geraten zu lassen wie die von ihnen betriebene Umverteilung von unten nach ganz oben, die fortdauernde Massenarbeitslosigkeit, den rigorosen Sozialabbau, die schweren Eingriffe in die Rechte der Arbeitnehmer, die systematische Vernichtung kleinbäuerlicher und anderer mittelständischer Existenzen und die wider alle Vernunft fortgesetzte Aufrüstung, atomare Gefährdung und Umweltzerstörung. Sie werden den Wählern weismachen wollen, nur die Unionsparteien garantierten Aufschwung, Sicherheit, Glück und Wohlstand für alle, und sie spekulieren dabei auf die Uninformiertheit, Gutgläubigkeit und Vergeßlichkeit der Wählermassen, die zu 95 Prozent – als Lohn- und Gehaltsempfänger, Hausfrauen, Rentner, Kleinbauern, Gewerbetreibende, Handwerker, Schüler, Studenten, Auszubildende, erst recht als Arbeitslose oder Sozialhilfeempfänger – die Opfer der konservativen »Wende«-politik sind.

Für die wenigen Nutznießer der »Wende«, für die Konzerngewaltigen und Großaktionäre, für die Familien Flick, Henkel, Thurn und Taxis, Oetker oder Siemens brauchen Kohl, Strauß & Co keine Wahlpropaganda zu machen. Die Superreichen wissen, wo sie und ihre Milliarden am besten aufgehoben sind und wer ihnen zu noch größeren Profiten verhelfen soll. Sie kennen auch die wahren Absichten der konservativen Allianz, die unser Land seit dem Herbst 1982 regiert. Schließlich haben sie, die Herren des Großen Geldes und der multinationalen Konzerne, diese »Wende« ja selbst herbeigeführt und die Politiker, die seither das Sagen haben, selbst dafür ausgesucht, gefördert, kräftig finanziert, mit genauen Weisungen versehen und an die Macht geschoben. Dafür liefert dieses Schwarzbuch die Beweise.

Das Komplott, das die derzeit herrschenden Konservativen an die Schalthebel bundesdeutscher Politik gehievt hat, ist von langer Hand vorbereitet worden. Deshalb müssen auch einige weit zurückliegende Vorgänge geschildert werden, die mit dem, was uns heute auf den Nägeln brennt, scheinbar nichts zu tun haben. Doch dieser Schein trügt: Vieles, was uns derzeit am meisten plagt, erklärt sich nur aus den Weichenstellungen längst vergangener Zeiten. So muß auch einiges, was schon in früheren Schwarzbüchern angesprochen wurde, in komprimierter Form Erwähnung finden, sonst wäre manches von dem, was heute geschieht, nicht verständlich. Außerdem waren die nunmehr 18- bis 21jährigen Erstwähler, auf die es wesentlich ankommt, erst gerade 4 bis 7 Jahre alt, als das erste Schwarzbuch erschien, das ausschließlich die zahlreichen skandalösen Affären des Franz Josef Strauß betraf, dem sogar das Münchener Landgericht bescheinigt hat, daß ihm »der Ruch der Korruption« anhafte.

Nun meinen vielleicht viele, Straußens alte Geschichten seien doch heute ohne Belang, und auch der einstige

»Schwarze Riese« Helmut Kohl sei ja nur noch eine Witzfigur. Möglicherweise bewundern manche sogar den »schlitzohrigen« Strauß, der seinen »Männerfreund« Kohl bei jeder Gelegenheit herunterputzt und schon im Herbst 1976 in seiner berühmt-berüchtigten »Wienerwald«-Rede erklärt hat, Helmut Kohl fehle »alles«, was man von einem Kanzler erwarte. Strauß damals über Kohl: »Er ist total unfähig. Ihm fehlen die charakterlichen, die geistigen und die politischen Voraussetzungen ...«

Doch wer Kohl (oder auch Strauß und seine Skandale) nur noch belächelt oder für belanglos hält, wer in Kohl nur einen unerträglichen Schwätzer sieht und Strauß als »bayerisches Fossil« abtut, der übersieht dabei, daß hinter beiden die Macht des Großen Geldes steht; daß Kohl und Strauß die Führer des rechten Bündnisses sind, das bislang die Bundesrepublik noch fest im Griff hat, und daß wir alle die katastrophalen Folgen ihrer rücksichtslosen, allein dem Macht- und Profitstreben einiger weniger dienenden Politik zu tragen haben, ob es sich dabei um immer neue Rüstungsprogramme, ebenso gefährliche wie überflüssige Atomkraftwerke und Wiederaufbereitungsanlagen handelt oder um massenhafte Jugend- und Dauerarbeitslosigkeit, Lohndruck, Sozialabbau, Umweltzerstörung, wachsende Polizeistaatlichkeit und Aushöhlung der demokratischen Rechte. Schon zweimal in diesem Jahrhundert hat ein vom Großen Geld an die Macht bugsiertes Rechtskartell uns Deutsche in eine Katastrophe geführt, aus reiner Macht- und Profitgier uns und unseren Nachbarn millionenfachen Tod, Verwüstung und Elend gebracht. Wir müssen alles daransetzen, eine nochmalige Wiederholung, die gewiß die letzte wäre, zu verhindern.

Wie?

Indem wir das in Verhöhnung der Begriffe »christlich«, »demokratisch« und »sozial« sich so nennende

Rechtskartell abwählen und die von ihm bewirkte »Wende« dorthin befördern, wo sie hingehört: auf den Abfallhaufen der Geschichte, zeitgemäß ausgedrückt: in das für das »Restrisiko« vorgesehene Endlager.

Zur Auffrischung des Gedächtnisses

In der Geschichte der Bundesrepublik Deutschland wurde bislang zweimal der Versuch unternommen, einen gewählten Kanzler mit einem konstruktiven Mißtrauensvotum zu stürzen. Der erste Versuch scheiterte; am 27. April 1973 verfehlte Rainer Barzel, damals CDU-Parteivorsitzender und Kanzlerkandidat der Union, sein Ziel, an Stelle von Willy Brandt (SPD) Bundeskanzler zu werden.

Der »glücklose« Barzel, den seine Parteifreunde nun gern kaltgestellt hätten, war nach diesem Fehlschlag indessen keineswegs bereit, sich einfach als CDU-Vorsitzender und Kanzlerkandidat abwählen zu lassen. Er drohte – so »Der Spiegel« – »mit Liebesentzug«, im Klartext: In der Gewißheit, als CDU/CSU-Fraktionsvorsitzender im Bundestag damals unentbehrlich zu sein (Barzel: »Wen gibt's da sonst schon?«), kündigte er seinen Rücktritt auch vom Fraktionsvorsitz an, falls man ihn als Parteivorsitzenden nicht wiederwählen und nicht auch erneut zum Kanzlerkandidaten der Union proklamieren würde. Barzels Drohung zeigte erhebliche Wirkung, und nun war guter Rat wirklich sehr teuer.

Zunächst begann, was in den geheimen, erst im Zuge der Parteispenden-Affäre von der Staatsanwaltschaft beschlagnahmten und dann öffentlich bekannt gewordenen Aufzeichnungen des Flick-Bevollmächtigten Eberhard von Brauchitsch als »konzertierte Aktion« bezeichnet wird: Von Unions-Seite wurden Helmut Kohl, Kurt Biedenkopf und der damalige rheinische CDU-Parteivorsitzende Heinrich Köppler aktiv, auf Unternehmerseite der Daimler-Benz-Personalchef, Flick-Vertrauensmann und damalige Arbeitgeberverbands-Vize Hanns Martin Schleyer, der schon erwähnte von Brauchitsch sowie Guido Sandler, die rechte Hand von Konzernchef Oetker, endlich auch Konrad Henkel, Chef des Henkel-Konzerns. Das Ergebnis war, daß Rainer Barzel ein »weicher Fall« angeboten werden konnte: Zu seinen regulären Bezügen sollten jährlich weitere 250 000 bis 300 000 DM Honorare kommen, die ihm der Frankfurter Rechtsanwalt Dr. Paul zukommen lassen würde, der seinerseits das Geld von »Industriemandanten« bekäme.

Und so geschah es. Zehn Jahre später schrieb Erich Böhme darüber im »Spiegel« unter der Überschrift »wg. Dr. Kohl«: »Rainer Candidus Barzel, der gescheiterte Kanzleraspirant des Jahres 1972, dessen salbungsvolle Tiraden die Deutschen Anfang der 70er Jahre überreichlich genervt hatten und den die Union schließlich aus Fraktions- und Parteivorsitz hebelte, wäre nie zum ›sozialen Fall‹ geworden. Trotz einschlägiger Sorgen, die der damalige Kohl-Intimus Kurt Biedenkopf dem Barzel-Nachfolger Kohl aktenkundig machte – Durchschlag an das Haus Flick, versteht sich ... Das Haus Flick zahlte, Barzel kassierte (mit zusätzlichen finanziellen Garnierungen der Chase Manhattan Bank und des Hauses Oetker), der erfolglose CDU-Chef räumte ohne Gezeter das Feld ... Das Flick-Kürzel ›wg. Dr. Barzel‹ hatte seinen Zweck erfüllt: wg. Dr. Kohl, ... dessen Chefstuhl mit eintausendsiebenhundert Flick-Tausendern (1,7 Millionen DM) freigefächelt worden war.«

Auch Barzel-Nachfolger Kohl war zunächst glücklos: 1976 trat er als Kanzlerkandidat der Union an und unterlag bei den Bundestagswahlen; 1980 wurde Strauß nominiert und scheiterte ebenfalls. Aber dann, am 1. Oktober 1982, kam Helmut Kohls große Stunde: Mit Hilfe der abgefallenen »Gruppe Genscher-Lambsdorff« wurde der gewählte Bundeskanzler Helmut Schmidt (SPD) durch ein konstruktives Mißtrauensvotum gestürzt, Kohl zum

Nachfolger gewählt – mit einer Mehrheit von sieben Stimmen und gegen den erklärten Willen jener Wähler, denen Genscher im Herbst 1980 feierlich versprochen hatte, er werde »vier Jahre als zuverlässiger und aufrichtiger Partner« mit Helmut Schmidt und den Sozialdemokraten die Koalition fortsetzen.

FDP-Plakat aus dem Bundestagswahlkampf 1980

Ein Drittel der FDP-Bundestagsfraktion, darunter fast alle Frauen, verweigerte Genscher-Lambsdorff die Gefolgschaft bei ihrem Betrug am Wähler. Aber seither ist Helmut Kohl Bundeskanzler und regiert unser Land auf eine Weise und mit einer Mannschaft, die haargenau den Wünschen derer entspricht, die mit Hilfe ihres Großen Geldes den Kanzlerwechsel herbeigeführt und uns dieses »Schreckenskabinett« beschert haben.

Schon bei der Vereidigung des neuen Bundesinnenministers, des Strauß-Spezis Dr. Fritz Zimmermann,

> **»Mal muß man sich die Hände dreckig machen, dann muß man sie sich eben waschen.«**
>
> Friedrich Zimmermann, 1962
> anläßlich der FIBAG-Affäre

Plakat des Heidelberger Rechtsanwalts und Grafikers Klaus Staeck aus dem Jahr 1982 kamen etlichen CDU- und FDP-Abgeordneten erhebliche Bedenken: Schließlich hatte sich Zimmermann – Spitzname in Bonn »Old Schwurhand« – schon 1960 wegen Falscheids vor einer Großen Strafkammer zu verantworten. Er hatte gegen den Führer der damals noch starken und mit der CSU heftig konkurrierenden Bayernpartei, Baumgartner, gerichtete, erwiesenermaßen unwahre Behauptungen vor Gericht dreist beschworen. In erster Instanz war Zimmermann schuldig gesprochen und zu einer Freiheitsstrafe verurteilt worden; im Revisionsverfahren billigte ihm das Gericht »verminderte geistige Leistungsfähigkeit« zu und sprach ihn mangels Beweises frei, jedoch mit der Feststellung: »Es kann keine Rede davon sein, daß die Unschuld des Angeklagten erwiesen wäre«, und »angesichts des weiter bestehenden erheblichen Tatverdachts« mußte Zimmermann seine Verteidigungskosten selbst tragen.

Jemanden, der den gefährlichsten politischen Gegner seiner Partei durch eine »objektiv unwahre« eidliche Aussage erledigt hatte, zum Polizei- und Verfassungsminister zu machen, schien auch vielen Christdemokraten damals höchst bedenklich, zumal diese Ernennung am Anfang einer angeblichen »geistig-moralischen Wende« stand. Aber Helmut Kohl scherte sich nicht um die Einwände aus den eigenen Reihen, die gegen Fritz Zimmermann laut wurden. Er brauchte einen skrupellosen Innenminister für den geplanten Abbau der demokratischen Rechte und Freiheiten, aber auch für den Umweltschutz, richtiger: zur Verhinderung aller Umweltschutz-Maßnahmen, die der Großindustrie nicht genehm waren. Schließlich hatte Kohl dem bayerischen Ministerpräsidenten Strauß, wie dieser sogleich bekanntgab, einige »bindende Zusagen« vor seiner Wahl zum Kanzler geben müssen. Dazu gehörte, daß der Rhein-Main-Donau-Kanal, dieses wirtschaftlich unsinnige, äußerst kostspielige, die Landschaftsschutzgebiete einer ganzen Region für immer zerstörende Projekt, »auf jeden Fall zu Ende gebaut« werden würde, obwohl damals bereits feststand, daß der Kanal für alle Zeiten ein Zuschußunternehmen bleiben und niemandem, allenfalls den Sowjets, nützen wird. Weitere Zusagen, die Kohl hatte machen müssen, betrafen den ungehinderten Bau weiterer Kernreaktoren und der von Strauß – als künftige Lieferantin von spaltbarem Material und damit auch von Atomwaffen eigener Produktion – für »unerläßlich« gehaltenen Wiederaufbereitungsanlage (WAA) Wackersdorf.

Als weiteren Gehilfen ins Kabinett nahm sich Helmut Kohl den erfahrensten Spezialisten für Volksverdummung, Peter Boenisch, der über ein Jahrzehnt lang oberster Chef von Blättern wie »BILD« und »BILD am Sonntag« gewesen war. Doch im Juni 1985 mußte Peter Boenisch als Regierungssprecher, Staatssekretär und Chef des Bundespresseamts zurücktreten, weil herausgekommen war, daß er nicht nur mehr als zehn Jahre lang der mit 12 500 DM monatlich von Flick ausgehaltene Interessenwahrer der Autoindustrie gegen Abgasentgiftung und Tempolimit gewesen war, sondern auch »vergessen« hatte, diese Nebeneinnahmen – mehr als 1,5 Millionen DM – korrekt zu versteuern.

Ebenfalls in engen Beziehungen zum Hause Flick stand Kohls Bundeswirtschaftsminister Dr. Otto Graf Lambsdorff (FDP), der erst zurücktrat, nachdem gegen ihn Anklage wegen Bestechlichkeit und Steuerhinterziehung erhoben wurde. Da der Prozeß gegen Lambsdorff gegenwärtig noch nicht abgeschlossen ist, soll hier nicht näher darauf eingegangen werden.

Ebenfalls staatsanwaltschaftlichen Ermittlungen ausgesetzt war der ohnehin schon in zahlreiche mißliche Affären verwickelte neue Postminister Kohls, Dr. Christian Schwarz-Schilling. Im Juni 1985 veröffentlichte »Der Spiegel« sein Foto mit der Unterzeile »Als Umweltgauner vor Gericht?«. Schwarz-Schilling war in die Schlagzeilen geraten, weil das Berliner Zweigwerk seines Familienunternehmens »Accumulatorenfabrik Sonnenschein« GmbH, Büdingen (Umsatz: rund 200 Millionen DM, knapp die Hälfte davon in Westberlin), mit hochgiftigem Blei aus illegal installierten Anlagen Leben und Gesundheit der Beschäftigten und der Bewohner des Stadtviertels gefährdete. Gegen Schwarz-Schilling, der 25 Jahre lang, bis zu seinem Eintritt ins Kabinett Kohl, der alleinverantwortliche Geschäftsführer des Familienunternehmens gewesen war, dessen Leitung dann seine Ehefrau Marie-Luise übernommen hatte, wurde außerdem der Vorwurf erhoben, sich an Berlin-Subventionen des Bundes unrechtmäßig – mit fast 3,5 Millionen DM seit 1975 – bereichert zu haben.

Auch hatte er vor seiner Ernennung zum Bundespostminister als CDU-Abgeordneter dem Bundestagspräsidium verschwiegen, daß seine Firma »Sonnenschein« an der »Projektgesellschaft für Kabel-Kommunikation mbH« beteiligt war, für die er als Mitglied des zuständigen Bundestagsausschusses Insider-Informationen sammeln konnte. Weiter war Minister Schwarz-Schilling ins Gerede gekommen, weil er sich nicht gescheut hatte, seinen Kabinettskollegen, Innenminister Zimmermann, zu drängen, die für »Sonnenschein« so lästigen Bleiausstoß-Grenzwerte zu entschärfen sowie – so »Der Spiegel« – »durch rigorose Verkabelungsstrategie medienpolitische Weichenstellungen zugunsten privater Programmanbieter und auf Kosten des Fernsehpublikums« vorzunehmen.

Allen Skandalen zum Trotz wurde Schwarz-Schilling jedoch von Kanzler Kohl gehalten, ebenso der längst rücktrittsreife Verteidigungsminister Manfred Wörner (CDU), der verantwortlich war für die »Affäre Kießling«. Diesen General hatte Wörner aufgrund nur oberflächlich geprüfter falscher Anschuldigungen gefeuert.

Aus der Fülle von Skandalen, die für die bisherige vier-jährige Amtszeit des Kanzlers Kohl kennzeichnend waren, sei hier nur noch einer herausgegriffen, der ganz zu Anfang stand: Am 11. Januar 1983, also kaum mehr als ein Vierteljahr nach Genschers Betrug am Wähler und Kohls »Machtergreifung«, drangen Beamte der Bundes-anwaltschaft und des Bundeskriminalamts in die Redak-tionsräume der Hamburger Monatszeitschrift »konkret« ein und durchsuchten dann auch die Privatwohnungen des Chefredakteurs Manfred Bissinger und des »kon-kret«-Autors Jürgen Saupe – angeblich wegen des Ver-dachts der »Preisgabe von Staatsgeheimnissen«. Sie wie-sen eine besondere Ermächtigung des Bundeskanzler-amts vor, unterschrieben von Kohls engem Vertrauten und Staatssekretär für die Geheimdienste, Waldemar Schreckenberger, was darauf schließen ließ, daß Kohl selbst oder seine nächste Umgebung die spektakuläre Aktion veranlaßt hatten, die aber sogleich von der Bun-desanwaltschaft zur »Routineangelegenheit« herunter-gespielt und offiziell mit einer mehr als ein Jahr zurück-liegenden »konkret«-Veröffentlichung über den früheren BND-Spitzenfunktionär Hans Langemann begründet wurde, eine zwielichtige Gestalt, die unter Strauß zum Chef der bayerischen Staatsschutzdienste avanciert war.

Indessen lag der Verdacht nahe, daß es sich in Wahr-heit um einen privaten Racheakt Helmut Kohls han-delte. In der »konkret«-Januar-Ausgabe 1983 war ein Artikel von Manfred Bissinger erschienen, worin es hieß: »Wie ein Mann seine Familie behandelt und wie er über die Familie spricht, kann im Gegensatz nicht krasser sein als bei Helmut Kohl. Seine Worte sind scheinheilig und verlogen, wenn man weiß, wie er lebt ...«

Gemeint war das Privatleben des Kanzlers im Bereich Ehe und Familie, den Lieblingsthemen des Volksredners Kohl. »Ich spreche so leidenschaftlich zu diesem The-ma«, hatte er gerade erst getönt, »weil für mich ganz klar ist, daß die immer wieder notwendige geistig-moralische Erneuerung unseres Landes eben nur dann kommen kann, wenn die Jungen ihr Beispiel zu Hause erfahren ... und eingeübt werden in die Tugenden unseres Landes am Beispiel der eigenen Eltern, in der Wärme und Geborgenheit der eigenen Familie.« Doch als Kohl von Mainz nach Bonn umgezogen war, hatte er seine Frau Hannelore und die beiden Söhne im Oggersheimer Bungalow zurückgelassen. Seine Sekretärin Juliane Weber aber war mit ihm umgezogen, nicht nur ins Bonner Büro, sondern auch in sein neues Haus in Bonn-Pech. Am 14. Oktober 1982, zwei Wochen nach Kohls Einzug ins Bundeskanzleramt, hatte »BILD« aus der »geheimnisvollen Welt der neuen Nr. 1«, der Kanzlergattin Hannelore Kohl, gemeldet: Sie »kam nach Bonn selten, übernachtet hat sie dort so gut wie nie«.

»In Bonn ist es ein offenes Geheimnis«, hatte Bissinger in »konkret« über das Verhältnis Kohls mit seiner Sekretärin geschrieben. »Die Journalisten kennen nicht nur Juliane Weber (die übrigens auch verheiratet ist)«, sie wissen auch, wie Helmut Kohl zu ihr steht. »Die Wahrheit schreiben will keiner ... Das höchste der Gefühle ist mal ein Scherz für Insider. Der ›Spiegel‹ über Juliane Weber: ›Sie schlägt ihm auch die Eier auf, weil der Kanzler sie so heiß nicht anfassen mag.‹ Normalerweise würde man darüber zur Tagesordnung übergehen.«

Soweit der für Helmut Kohl und seine Gefährtin so ärgerliche »konkret«-Artikel, der gewiß nicht geschrieben – und hier bestimmt nicht zitiert – worden wäre, hätte Kohl nicht selbst dafür gesorgt, daß man über seine Intimsphäre eben *nicht* taktvoll schweigen kann. Der Kanzler selbst hat aus seiner privaten eine öffentliche Angelegenheit gemacht, denn zum ersten Mal in der Geschichte unserer Republik hat ein Kanzler die Finanzierung seines Verhältnisses nicht aus eigener Tasche vorgenommen. Helmut Kohl hat die Kosten des Lebensunterhalts seiner Juliane den Steuerzahlern aufgebürdet!

Auf Wunsch von Helmut Kohl wurde Frau Weber im Bundeskanzleramt als seine persönliche Referentin mit den Bezügen eines Regierungsdirektors eingestellt. Gegen die Einwände des Personalrats, Frau Weber fehle die in den Richtlinien vorgeschriebene Schul- und Hochschulbildung, machte der Kanzler das »einzigartige« Vertrauensverhältnis geltend, das zwischen Juliane Weber und ihm bestehe, und er setzte sich damit durch.

Erst diese von Kohl eingeführte »Mätressenwirtschaft« – wie Beamte des Kanzleramts den neuen Regierungsstil nennen, der es Frau Weber gestattet, mit der einleitenden, keinen Widerspruch duldenden Formel »Der Kanzler wünscht ...« ihre eigenen Forderungen durchzusetzen – hat »konkret« dazu veranlaßt, die Öffentlichkeit zu informieren.

Kohl informierte die bundesdeutsche Öffentlichkeit in derselben Woche auf seine Weise: »Es gilt für uns der Satz: Eine gesunde Familie ist die Voraussetzung eines gesunden Staates, und Staatspolitik muß sich täglich an diesen Satz erinnern ...« Alsdann setzte das Bundeskanzleramt die Bundesanwaltschaft gegen »konkret« in Bewegung – wegen Verdachts der »Preisgabe von Staatsgeheimnissen«. Später versuchten Kanzlergehilfen die Journalisten davon zu überzeugen, daß die Aktion gegen »konkret« nichts zu tun gehabt hätte mit der dort veröffentlichten Geschichte über die zur Regierungsdirektorin ernannten Kanzler-Gefährtin. Denn diese Geschichte hätte ja im Januar-Heft von »konkret« gestanden, der Durchsuchungsbefehl aber war bereits am 29. Dezember 1982 unterzeichnet worden. Die Wahrheit hingegen ist, daß »konkret« wegen der Feiertage seine Januar-Ausgabe bereits am 21. Dezember ausgeliefert hatte. So war also Zeit genug gewesen, etwaige Rachegelüste reifen zu lassen und dann auch zu stillen.

Genau zwei Jahre nach der Ingangsetzung der Aktion gegen »konkret«, am 28. Dezember 1984, kam Kanzler Kohl in ärgste Bedrängnis durch ein Ereignis, das auf den ersten Blick mit Politik nicht das geringste zu tun hatte, sondern ein ganz gewöhnlicher Raubüberfall – auf ein Baden-Badener Juweliergeschäft – war. Mit einer Beute im Verkaufswert von 2,6 Millionen DM war der Täter entkommen. Wenig später wurde der mutmaßliche Räuber jedoch gefaßt. Es handelte sich um den – inzwischen in erster Instanz für schuldig befundenen und zu einer Freiheitsstrafe verurteilten – Rechtsanwalt Dr. Hans-Otto Scholl aus Ludwigshafen-Oggersheim, wo er Helmut Kohls Villen-Nachbar und mit ihm auch gut befreundet war.

Allerdings gab es nicht nur solche rein privaten Beziehungen zwischen dem Bundeskanzler und dem Juwelenräuber. Bei der Fahndung nach der Millionenbeute fand die Polizei in einem Züricher Bankschließfach nicht nur einige der geraubten Juwelen, sondern auch eine Menge Papiere, die Einblick gaben in die Spendenpraxis der pharmazeutischen Industrie der Bundesrepublik. Denn Dr. Scholl war nicht nur Rechtsanwalt, sondern auch viele Jahre lang Hauptgeschäftsführer des Bundesverbands der Pharma-Industrie (BPI) gewesen, außerdem ein führender FDP-Politiker in Rheinland-Pfalz, zeitweise Landes- und Landtagsfraktionsvorsitzender seiner Partei. Indessen hatte die Pharma-Industrie ihren Hauptgeschäftsführer und Cheflobbyisten wegen »zu eigenmächtigen Umgangs mit dem Verbandsvermögen« bereits gefeuert, und Dr. Scholl hatte sich verpflichten müssen, dem Verband 1,6 Millionen DM zurückzuerstatten. Erstaunlicherweise erhielt Scholl aber nach seiner Entlassung eine monatliche Pension vom BPI in Höhe von 5 700 DM – »Schweigegeld?« fragte »Der Spiegel« damals, und solche Vermutungen erscheinen nicht ganz abwegig, denn die im Züricher Banktresor aufgefundenen Papiere beweisen, daß etliche Millionen Mark für CDU- und FDP-Politiker bestimmte Spendengelder der Pharma-Industrie durch Dr. Scholls Hände gegangen waren.

So hatte CDU-Schatzmeister Walther Leisler Kiep »zugleich im Namen von Herrn Dr. Kohl und Herrn Professor Biedenkopf« 70 000 DM kassiert – von Curt Engelhorn, Chef des Familienunternehmens »Boehringer Mannheim GmbH« (Pharma-Umsatz: 1,2 Milliarden DM), und zwar über Dr. Scholl und eine – illegale – Geldwaschanlage in Rheinland-Pfalz. Der CDU/CSU-Fraktionsvorsitzende Alfred Dregger hatte – so die Staatsanwaltschaft – »einige hunderttausend Mark abkassiert« – bei der »Wella AG« in Darmstadt und ebenfalls über Dr. Scholl. Vom Pharma-Werk E. Merck in Darmstadt erhielt die CDU-Prominenz, aber auch die frühere Frankfurter CDU-Schatzmeisterin Anita Gräfin von Galen, Ehefrau des inzwischen zu einer längeren Freiheitsstrafe verurteilten Bankiers Ferdinand Graf von Galen, rund eine Million DM.

Fast alle großen und kleinen Unternehmen der Pharma-Branche waren in Dr. Scholls Listen mit beträchtlichen Spenden an CDU und FDP verzeichnet, und die aufgefundenen Papiere ließen auch klar erkennen, was die Pharma-Industrie mit diesen Millionenspenden bezweckt hatte. Es ging den Arzneimittelherstellern vor allem darum, gezielt diejenigen Politiker und auch Beamten zu »fördern«, die Einfluß auf die Arzneimittelgesetzgebung und die Gesundheitspolitik nehmen konnten.

In der Bundesrepublik wurden zur Zeit der Aktivitäten des Dr. Scholl jährlich knapp 8 Milliarden DM für Arzneimittel ausgegeben. Inzwischen sind es jährlich über 16 Milliarden DM. »Fast die Hälfte dieser gigantischen Steigerung, die alle Bundesbürger belastet, hätte sich« – so »Der Spiegel« im Juni 1985 – »einsparen las-

Der frühere rheinland-pfälzische FDP-Chef Hans-Otto Scholl während einer Verhandlungspause im Baden-Badener Juwelenraub-Prozeß am 8. August 1985.

23

sen«, wären damals nicht die Kernpunkte der geplanten Reform der Arzneimittelgesetzgebung »von der Pillen-Lobby herausgeschossen« worden.

Die vom damaligen Pharmaverbands-Hauptgeschäftsführer Dr. Scholl mit sehr viel Geld betriebene Beeinflußung des Gesetzgebungsverfahrens hat sich für die Arzneimittelproduzenten also vorzüglich gelohnt; sie haben ihre Umsätze verdoppeln können. So ist es auch verständlich, daß sie Dr. Scholl, selbst nach dessen Hinauswurf wegen allzu reichlicher »Selbstbedienung« aus der Verbandskasse, nicht darben ließen, sondern ihm eine stattliche Pension von monatlich 5 700 DM zahlten.

Kaum begreiflich ist es hingegen, daß der gefeuerte Verbandsgeschäftsführer, der 1981 auch als FDP-Landesvorsitzender zurücktreten mußte, wenig später im Mainzer Landtag von den Freidemokraten zum Fraktionsvorsitzenden gewählt wurde. Aber bei den Neuwahlen in Rheinland-Pfalz im März 1983 kam die FDP nur noch auf 3,5 Prozent der Wählerstimmen und war nun im Landesparlament nicht mehr vertreten. Doch der fortan auch als Politiker arbeitslose Dr. Scholl brauchte dennoch nicht um seine Existenz zu bangen: Er bezog als ehemaliger Abgeordneter ein Übergangsgeld von monatlich 5 400 DM, mit seiner BPI-Pension zusammen also 11 100 DM monatlich.

Indessen sah er sich selbst – und dann sahen ihn auch seine politischen Freunde – als unterstützungsbedürftig an. CDU-Ministerpräsident Bernhard Vogel, auch er ein Pharma-Spenden-Empfänger, besorgte deshalb Dr. Scholl noch einen mit 5 000 DM monatlich honorierten Beratervertrag bei der »Deutschen Anlagen-Leasing« (DAL) in Mainz, an der die rheinland-pfälzische Landesbank erheblich beteiligt ist.

Aber auch mit 16 100 DM monatlichen festen Bezügen war Dr. Scholl nicht zufrieden. Er wandte sich an seinen Freund und Nachbarn Helmut Kohl, der ihn, ehe er von

Mainz nach Bonn gezogen war, noch mit dem Bundesverdienstkreuz Erster Klasse ausgezeichnet hatte, und Kohl setzte sich für Dr. Scholl sofort und in einer Weise ein, die bei einem dem Kanzler nahestehenden und ihm treu ergebenen Bonner Beamten die Befürchtung aufkommen ließ, Kohl könnte erpreßbar sein. Denn dieser verschaffte dem längst nicht mehr in bestem Ruf stehenden Nachbarn unverzüglich einen Beratervertrag bei der Deutschen Lufthansa (an der der Bund mit 74,3 Prozent beteiligt ist), wodurch sich die festen Bezüge Dr. Scholls fast verdoppelten, nämlich um 10 000 DM Monatssalär und eine monatliche Aufwandsentschädigung von weiteren 5 000 DM auf nun bereits insgesamt 31 100 DM, die der gefeuerte Pharma-Hauptgeschäftsführer und abgewählte FDP-Politiker an jedem Ultimo einstreichen konnte.

Die Befürchtungen des um Kohl besorgten Beamten waren hingegen sicherlich unbegründet. Kohl hat sich wohl lediglich dem Oggersheimer Nachbarn, der ihm und seiner Partei über Jahre hinweg finanziell so hilfreich gewesen war, »geistig-moralisch« verpflichtet gefühlt. Auch konnte der Kanzler ja nicht ahnen, daß Dr. Scholl, dessen Lufthansa-Beratervertrag ihm vom 1. November 1983 an die »Wahrnehmung rechtlicher Aufgaben« abverlangte, schon so bald danach und so heftig mit dem Strafgesetzbuch in Konflikt geraten würde. Erst recht nicht ahnen konnte der »Nachbarschaftshilfe« leistende Kanzler, daß bereits ein Vierteljahr nach dem Baden-Badener Raubüberfall in einem Safe des Schweizerischen Bankvereins in Zürich, neben einem 6,5karätigen Brillanten aus der Juwelenbeute, auch alle jene Papiere gefunden werden würden, die über die finanziellen Zuwendungen der Pharma-Industrie an wichtige Unionspolitiker, den Kanzler selbst eingeschlossen, umfassend Aufschluß geben sollten.

Über eines hätte sich Helmut Kohl allerdings schon früher im klaren sein müssen, lange vor dem ersten

Händedruck mit dem damaligen Pharma-Verbands-Häuptling Dr. Scholl: Wenn steinreiche Industrielle oder deren Interessenvertreter an Politiker dicke Banknotenbündel verteilen, ist dies im allgemeinen kein Ausdruck selbstloser Nächstenliebe. Vielmehr erwarten die Spender in aller Regel Gegendienste, die ihnen ein Vielfaches dessen einbringen, was sie gespendet haben, sowie strikte Befolgung aller ihrer Anweisungen.

Man kann sogar vermuten, daß es kaum einen führenden Unionspolitiker gibt, der dies besser weiß als Helmut Kohl. Denn von Anbeginn seiner politischen Karriere hat Helmut Kohl sich einerseits der finanziellen Förderung durch reiche Industrielle erfreuen dürfen, andererseits erfahren müssen, daß diejenigen, die »die Musik bezahlen«, auch bestimmen wollen, was gespielt wird.

Seltsamerweise fehlt in allen Beschreibungen des Aufstiegs Helmut Kohls – sowohl in den von ihm autorisierten Biographien wie in den nichtgenehmigten, kritischen Darstellungen seiner Politiker-Karriere – jeder Hinweis auf den wichtigsten Gönner und Förderer des heutigen Bundeskanzlers. Deshalb ist das folgende Kapitel diesem weithin unbekannt gebliebenen eigentlichen Entdecker Kohls gewidmet, der, ohne selbst politisch hervorzutreten, fast zwei Jahrzehnte lang die Fäden gezogen und die Weichen gestellt hat, um »die Wende« herbeizuführen.

Helmut Kohl
und sein »Entdecker«

Helmut Kohls politische Karriere begann in seiner – wirtschaftlich von der BASF beherrschten, von der SPD regierten – Geburtsstadt Ludwigshafen, wo er am 3. April 1930 als Sohn eines kleinbürgerlichen Finanzbeamten zur Welt gekommen war. Kohls autorisierter Biograph Karl Günter Simon, der dem heutigen Bundeskanzler in einem 1969 erschienenen Buch mit dem Titel »Die Kronprinzen« immerhin schon ein knappes Dutzend Seiten gewidmet hat, berichtet, daß Helmut (»Helle«) Kohl aus »schwarzem Elternhaus« stamme; daß der kräftige, hochgewachsene Oberrealschüler schon im Bundestagswahlkampf 1949 für die CDU als Redner aufgetreten sei (und zwar, wie Freunde und Gegner übereinstimmend sich erinnern, »laut, hemdsärmelig und naßforsch«), und daß er dann langsam, »Schritt für Schritt«, Karriere gemacht habe.

Als 17jähriger war er 1947 der Jungen Union beigetreten, mit 25 Jahren wurde er bereits Mitglied des rheinland-pfälzischen CDU-Landesvorstands, mit 28 Jahren CDU-Kreisvorsitzender in Ludwigshafen und jüngster Landtagsabgeordneter im Mainzer Parlament. Nach dem Wunsch seiner Eltern sollte er Rechtswissenschaft studieren und Beamter werden. Aber Helmut Kohl interessierte sich nur für Politik, exakter: für seine eigene politische Karriere. Geld verdiente er sich, sozusagen nebenher, erst als Praktikant bei der BASF, als Direktionsassistent bei der Eisengießerei Mock, als kaufmännischer Angestellter der Miederwarenfabrik »Felina«, dann als Referent des Landesverbands der chemischen Industrie von Rheinland-Pfalz-Saar in Ludwigshafen.

Ehe er dort – mit einem Anfangsgehalt von 1 000 DM, später 3 000 DM – anfing, erwarb er nach immerhin neun Jahren, die seit seinem Abitur vergangen waren, den Doktorgrad, nicht den juristischen, denn er hatte im fünften Semester umgesattelt, sondern den Dr. phil. des Fachs Geschichte und zwar mit einer 160 Seiten umfassenden Arbeit zum Thema »Die politische Entwicklung in der Pfalz und das Wiedererstehen der Parteien nach 1945«.

Kohls Sternstunde kam, wenn man seinen Biographen Glauben schenken will, am 3. April 1959, seinem 29. Geburtstag, mitten im Landtagswahlkampf. Kohl kandidierte zum ersten Mal, und nun stand ihm – so Lothar Wittmann in dem von Werner Filmer und Heribert Schwan herausgegebenen biographischen Sammelband »Helmut Kohl« – »ein großer Auftritt bevor: Konrad Adenauer wird zu einer Großveranstaltung erwartet. Im hochroten Ludwigshafen soll der Besuch des Kanzlers zu einer eindrucksvollen Demonstration der ›Schwarzen‹ werden. Umfangreiche Vorbereitungen, die Versammlung soll in für Ludwigshafen ungewöhnlichen Dimensionen stattfinden. Zu diesem Behuf hat CDU-Geschäftsführer Fritze Keller ... zwei gewaltige Wurstmarktzelte aus Bad Dürkheim auf dem Marktplatz aufstellen lassen ... (Sie) fassen 8 000 Besucher. Kleinmütige Zweifler haben Kohl vor solchen Ausmaßen gewarnt ... 20 Minuten vor der auf 20 Uhr angesetzten Versammlung ist die Nervosität groß. Über Polizeifunk wird angekündigt, daß der Kanzlerwagen bereits Darmstadt passiert hat, und die Zelte sind höchstens zu 20 Prozent gefüllt. Wenn der Besucherstrom so dünn bleibt, wird es eine Blamage geben. Kurz entschlossen dirigiert Kohl den Kanzlerkonvoi ins Hotel St. Hubertus um. Der geplagte Kanzler muß die Möglichkeit haben, sich vor dem Auftritt noch etwas frisch zu machen. Als der Kanzler dann ... am Veranstaltungsort eintrifft, sind die Zelte brechend voll ... Der Zustrom hat in letzter Minute und schlagartig eingesetzt. Drei Redner an diesem Abend: Helmut Kohl hält eine schwungvolle Begrüßungsrede, dann Peter Altmeier, der (rheinland-pfälzische) Ministerpräsident, dann Konrad Adenauer. Helmut Kohl bringt enthusiastische Stimmung ins Zelt, er spricht angriffslustig, wettert gegen Herbert Wehners Agitationsbesuch in der BASF. Droht die Politisierung der Betriebe? Konrad Adenauer wird aufmerksam, mustert interessiert den langaufgeschossenen Nachwuchsredner, fragt seinen Nachbarn Peter Altmeier, wer denn dieser hoffnungsvolle junge Mann sei ...«, und ernennt, so möchte man vermuten, wenn man dieser eindrucksvollen Schilderung gefolgt ist, Helmut Kohl sogleich zu seinem politischen Enkel und späteren Nachfolger.

Dies war jedoch keineswegs der Fall; die Ernennung zum Adenauer-Enkel nahm Helmut Kohl später selber vor, und auch die wunderbare Publikumsvermehrung in den Ludwigshafener Zelten kam nicht von ungefähr. Sie hatte viel Arbeit, Anstrengung und Hilfe von den Unternehmern aus dem Umland erfordert, von denen einer sich rühmte, er habe es sich 12 000 DM kosten lassen, »seine Leute« in Bussen »heranzukarren, ihnen 5 Mark pro Kopf spendiert für Verzehr und damit Kohls Schau gerettet«.

Wie dem auch sei: Jedenfalls ist eines sicher, nämlich daß Helmut Kohl damals schon einen millionenschweren Industriellen zum väterlichen Freund und Förderer hatte, der Kohls Talente zu schätzen wußte und, wie er später wiederholt erklärte, »einen guten Riecher« für kommende Spitzenpolitiker hatte, die sich ihren Mäzenen dann als sehr nützlich erweisen konnten.

Helmut Kohls damaliger reicher Gönner war übrigens der Großaktionär und Vorstandsvorsitzende eines aufblühenden Unternehmens mit über zweitausend Beschäftigten in der von Ludwigshafen nur acht Kilometer entfernten pfälzischen Kreisstadt Frankenthal. Fast zwei Jahrzehnte lang, während aus dem Ludwigshafener JU-Führer ein Stadtrat, dann ein CDU-Landtagsabgeordneter, Fraktionsvorsitzender, schließlich sogar ein rheinland-pfälzischer Ministerpräsident, CDU-Bundesvorsitzender und Kanzlerkandidat wurde, war Helmut Kohl ein häufiger Gast in der Frankenthaler Industriellen-Villa. In allen diesen Jahren gab es zwischen Kohl und seinem reichen Gönner viele Gespräche über politische und wirtschaftliche Fragen. Der junge Politiker Kohl holte sich manchen Rat von seinem um 23 Jahre älteren, beinahe väterlichen Freund, ließ sich von diesem erzählen, wie man aus sehr bescheidenen Anfängen über Krieg, Niederlage und Währungsreform hinweg zu Multimillionärs- und Konzernherren-Höhen aufsteigt, und er scheint sich damals vorgenommen zu haben, es seinem Förderer gleichzutun, zumindest hinsichtlich eines rücksichtslosen Gebrauchs der Ellbogen und eines Mindestmaßes an moralischen Skrupeln sowie einer sorgfältigen Pflege dessen, was sein erfahrener Gönner »nützliche Beziehungen« zu nennen pflegte.

Tatsächlich hatte dieser Frankenthaler Industrielle glänzende Verbindungen und sogar enge freundschaftliche Beziehungen zu bereits arrivierten und kommenden Spitzenleuten aus Politik und Wirtschaft. Einigen davon präsentierte und empfahl er seinen Schützling Helmut Kohl, und auch sonst konnte der steinreiche Konzernchef dem aufsteigenden Jungpolitiker auf mancherlei Weise behilflich sein.

Natürlich stellte Helmut Kohl seinem Förderer auch das Mädchen vor, mit dem er sich zu verloben und – wie es für einen christlichen Politiker obligatorisch war – in Bälde zu verheiraten gedachte, und erst nachdem Kohls einstige Tanzstundenfreundin und zukünftige Ehefrau Hannelore von der Familie des Frankenthaler Industriellen in Augenschein genommen worden war, traf der angehende Landespolitiker Vorbereitungen für die Gründung eines eigenen Hausstands. Zwei Monate nach seinem Einzug ins Mainzer Landesparlament verheiratete er sich mit Hannelore Renner.

Nun konnte Helmut Kohl seinem Förderer hie und da auch schon ein paar Gefälligkeiten erweisen, denn sein Einfluß in der Mainzer CDU-Fraktion war von Anfang an groß, und andererseits steigerte der reiche Industrielle das Ansehen des jüngsten Abgeordneten, indem er diesen mitnahm auf eine Afrikareise, wie sie sich damals, Anfang der 60er Jahre, ein noch unbekannter Provinzpolitiker kaum zu erträumen wagte. Frau Hannelore durfte derweilen mit der Gattin des Industriellen Ferien im schweizerischen Zermatt machen, wo den Damen ein luxuriöses Chalet zur Verfügung stand. Die Traumreise, auf die Kohl damals von seinem noblen Gönner mitgenommen wurde, ging ins Königreich Marokko, dessen Honorarkonsul für Rheinland-Pfalz sein väterlicher Freund geworden war, und sie wurde für Helmut Kohl zu einem Erlebnis wie aus Tausendundeiner Nacht. Übrigens, es sei hier nur am Rand vermerkt, weil es das harte Urteil vieler anderer, politischer Freunde wie Gegner, über den jungen Politiker Kohl bestätigt: Auch der ihm so wohlwollende Industrielle rügte, gerade im Anschluß an diese Marokkoreise, die miserablen Umgangsformen seines Schützlings. Wie schon gelegentlich zuvor und noch oftmals später, als Kohl schon längst Ministerpräsident in Mainz geworden war, bedauerte der Herr Konsul, wenngleich nur im engeren Familien- und Freundeskreis, das »ungehobelte Benehmen« Kohls und sein »schrecklich rücksichts- und taktloses Auftreten«. Der engste Freund des Herrn Konsuls, dem er davon erzählte, lachte indessen nur und sagte – wie er später dem Autor selbst erzählte –: »Laß man, Fritz, wenn er werden soll, was wir uns ausgedacht haben, kann er gar nicht rücksichtslos genug sein!«

Übrigens, der bislang verschwiegene Name des Kohl-Entdeckers und langjährigen -Gönners war Dr. Fritz Ries, Chef und Großaktionär des »Pegulan«-Konzerns mit Hauptsitz in Frankenthal. Dessen alter Freund, einstiger Kommilitone und »Leibfuchs« bei der Heidelberger schlagenden Verbindung »Suevia« und späterer stellvertretender Vorsitzender des »Pegulan«-Aufsichtsrats, aber hieß Dr. Hanns Martin Schleyer, war bereits der Vertrauensmann des Daimler-Großaktionärs Friedrich Flick in der Untertürkheimer Konzernzentrale und bald auch stellvertretender Vorsitzender von »Gesamtmetall« sowie Vizepräsident der Arbeitgebervereinigung. Er sollte noch höher aufsteigen, ehe er im Herbst 1977 von Terroristen entführt und ermordet wurde, doch in unserem Zusammenhang ist zunächst nur von Bedeutung, daß es Dr. Ries und Dr. Schleyer waren, die den Jungpolitiker Helmut Kohl »vormerkten« für zukünftige Jahre, wenn eine »Bundesregierung nach Maß« und nach dem Herzen der großen Konzerne aufzustellen sein würde.

Wir werden auf Dr. Fritz Ries und Dr. Hanns Martin Schleyer noch einmal zurückkommen, doch hier sei über Ries nur noch angemerkt, daß es für den »Pegulan«-Konzern und dessen Produkte, vor allem Fußbodenbeläge aus Kunststoff, 1975 eine Absatzkrise gab. Nur durch eine Landesbürgschaft in Millionenhöhe konnten die Banken bewogen werden, dem Unternehmen noch einmal über die Runden zu helfen. Das Fachblatt »Wirtschaftswoche« meldete dazu am 5. März 1976:

»Tatsächlich müssen die Finanzkalamitäten bei Ries und den Pegulan-Werken noch gravierender sein, als in der WiWo vom 23. Januar 1976 dargestellt. Der rheinland-pfälzische Finanzminister Johann Wilhelm Gaddum mußte dem SPD-Abgeordneten Rainer Rund auf eine Anfrage zur Pegulan-Krise denn auch eingestehen: ›Landesbürgschaften werden nur dann gewährt, wenn die Sicherheiten im Sinne der Beleihungsgrundsätze der

32

Kreditinstitute nicht ausreichen.‹ Im Klartext heißt das: Pegulan hätte ohne die Bürgschaft des Landes keinen Kredit mehr bekommen. Ob indes diese Landeshilfe allein wegen der gefährdeten Arbeitsplätze zugesagt wurde oder ob der CDU-Kanzlerkandidat und Rheinland-Pfalz-Chef Kohl zusätzlich ein gutes Wort für Ries einlegte, bleibt offen.«

Offen bleibt auch, ob der sowohl von der seriösen »Wirtschaftswoche« als auch vom exklusiven »Manager Magazin« verbreitete angebliche Ries-Ausspruch über Kohl – *»Auch wenn ich ihn nachts um drei anrufe, muß er springen!«* – korrekt wiedergegeben worden ist. Immerhin bezeichneten Ries-Tochter Monika und deren Ehemann, Rechtsanwalt Herbert Krall, dieses Zitat als »durchaus der Riesschen Auffassung von Kohl entsprechend«.

Mit Gewißheit läßt sich nur sagen, daß das damals von Helmut Kohl geführte Land Rheinland-Pfalz den Konzern des Dr. Ries durch Übernahme von Bürgschaften in Millionenhöhe lange vor dem Zusammenbruch bewahrt hat. Dabei hat möglicherweise der Umstand eine Rolle gespielt, daß dem Ries-Konzern schon zuvor bedeutende Landesmittel zuteil geworden waren, deren Gesamthöhe von Fachleuten auf zig Millionen DM veranschlagt wurde.

Ebenfalls durch Kohl zuteil geworden war Dr. Fritz Ries im Februar 1972 der Stern zum Großen Bundesverdienstkreuz, eine ungewöhnliche Ehrung für einen Mann, dessen »unternehmerische Leistung und Engagement für die Gesellschaft«, wie es in der Verleihungsurkunde hieß, wahrlich nicht unumstritten war. Denn Fritz Ries, Kohls »Weichensteller«, von ihm auch manchmal als »der gute Mensch von Frankenthal« bezeichnet, hatte eine recht dunkle unternehmerische Vergangenheit: Der am 4. Februar 1907 in Saarbrücken geborene Fritz Ries, Sohn des Inhabers einer Möbelhandlung,

Ministerpräsident Helmut Kohl zeichnet seinen langjährigen Förderer Konsul Ries wegen dessen »unternehmerischer Leistung und Engagements für die Gesellschaft« mit dem Stern zum Großen Bundesverdienstkreuz aus.

hatte nach dem Abitur ein Jurastudium begonnen, erst in Köln, dann in Heidelberg, wo er – wie schon kurz erwähnt – den acht Jahre jüngeren Korpsstudenten Hanns Martin Schleyer als »Leibfuchs« unter seine Fittiche nahm.

Schleyer, es sei hier nur am Rande angemerkt, war als Sohn eines Landgerichtsdirektors in Offenburg/Baden 1915 geboren worden und bereits als Schüler 1931 der Hitlerjugend beigetreten, 1933 in die SS aufgenommen worden (Mitgliedsnummer 227014) und galt mit 19 Jahren schon als »Alter Kämpfer«, der von 1934 an die Universität Heidelberg in eine »Forschungs- und Erziehungsanstalt nationalsozialistischer Prägung« zu verwandeln sich bemühte. Er leitete dort, später auch in Innsbruck, dann in Prag, das sogenannte »Studentenwerk«, aus dessen SS-Mannschaftshäusern der Sicherheitsdienst (SD) der Nazis seinen Nachwuchs rekrutierte. Von 1939 an stand der SS-Führer Dr. Schleyer im neuen »Protektorat Böhmen und Mähren« an der Spitze der gesamten SS-»Hochschularbeit«; ihm unterstanden rund 160 Angestellte, und sein Jahresetat betrug rund zehn Millionen Reichsmark. Im Verlaufe des Krieges erlangte er noch größeren Einfluß und war – nach eigenem späteren Bekenntnis gegenüber dem Autor – »ein SS-Haudegen, ein toller Hecht, auch der letzte Kampfkommandant von Prag – ein Glück, daß Sie das Schlimmste über mich nicht herausgekriegt haben!«

Doch zurück zu Fritz Ries, der sich beim Heidelberger Korps »Suevia« bei Mensuren jene »Schmisse« genannten Fechtnarben holte, die für eine Karriere damals sehr förderlich waren. Unmittelbar vor dem Verbot der korpsstudentischen Mensuren forderte Ries noch einen Kommilitonen, der seine Ehre verletzt hatte, auf Pistolen, wobei ihm sein »Leibfuchs« Schleyer – wie dieser sich erinnerte und dem Autor lachend erzählte – die Waffe zum Kampfplatz trug.

1941: »... ich bin alter Nationalsozialist und SS-Führer.«
1976: »Boss der Bosse« Dr. Hanns Martin Schleyer, einstiger »Leibfuchs«
von Dr. Ries.

Schon kurz darauf beendete Fritz Ries sein Studium als Dr. jur. und begann sogleich – im Herbst 1934 – seine Unternehmerkarriere, nachdem er im Jahr zuvor der Nazipartei beigetreten war und die Tochter des wohlhabenden Rheydter Zahnarztes Dr. Heinemann geheiratet hatte. Mit schwiegerväterlichem Geld entfaltete er – wie er selbst in einem Schreiben an eine hohe Nazi-Parteistelle ohne falsche Bescheidenheit anführte – »eine außerordentliche unternehmerische Aktivität«. Er hatte eine Leipziger Gummiwarenfabrik, Flügel & Polter, erworben und diesen 120-Mann-Betrieb in wenigen Jahren zu einem mittleren Konzern ausgebaut – fast ausschließlich mit Hilfe sogenannter »Arisierungen«.

Durch die judenfeindliche Politik der Nazis waren die früheren Eigentümer gezwungen, ihre Unternehmen weit unter dem tatsächlichen Wert und demütigenden Bedingungen an »Arier« wie Dr. Ries zu verkaufen. Anzumerken ist, daß Dr. Ries innerhalb kürzester Zeit zum branchenbeherrschenden Präservativ-Hersteller des »Großdeutschen Reiches« aufrückte und für seine rüde, auch im »angeschlossenen« Österreich praktizierte »Arisierungs«politik starke Rückendeckung durch die Nazi-Partei erhielt. Das ergibt sich aus den erhalten gebliebenen Geschäftsunterlagen seiner Konzern-Holding, aber auch aus einem Dokument besonderer Art:

Mit Datum vom 15. Mai 1936 hatte nämlich das Polizeipräsidium Leipzig, wo seine Holding ihren Sitz hatte, dem »Herrn Präsidenten des Geheimen Staatspolizeiamtes Sachsen III in Dresden« gemeldet, daß der »Fabrikant Dr. Fritz Ries . . . politisch einwandfrei und zuverlässig«, zudem Parteigenosse sei und daher »die Eignung als Vertrauensmann für besondere Angelegenheiten« besitze. Dieses als »streng vertraulich« gekennzeichnete Schreiben mit dem Aktenzeichen St. A. Dr. 700/34/36 hatte dann am 20. Juni 1936 im Gestapo-Präsidium Dresden den handschriftlichen Vermerk erhalten: »Dr. Ries als V-Mann vorsehen!«

Vom Herbst 1939 an, also gleich nach Beginn des Zweiten Weltkriegs, wurde der Ries-Konzern »auf den Kriegsbedarf der Wehrmacht umgestellt und stark erweitert«. Die Beschäftigtenzahl hatte sich bis zu diesem Zeitpunkt verzehnfacht, der Umsatz war auf mehr als das Zwanzigfache gestiegen, und bald erreichten die Umsätze und Gewinne geradezu schwindelnde Höhen. Denn von 1941 an konnte Dr. Ries seinen Gummikonzern auf die eroberten polnischen Gebiete ausdehnen, immer neue Betriebe »übernehmen«, dabei unterstützt von einem eigens für solche Aufgaben engagierten SS-Standartenführer im Sicherheitsdienst (SD), Herbert Packebusch.

Packebusch, nach dem die Staatsanwaltschaft Kiel wegen dringenden Verdachts des Mordes in zahlreichen Fällen noch Jahrzehnte nach Kriegsende vergeblich fahndete, half Dr. Ries auch bei der Beschaffung von Arbeitskräften. So arbeiteten allein in einem der Ries-Betriebe im eroberten Polen, den »Oberschlesischen Gummiwerken« in Trzebinia (Westgalizien), laut einer »Gefolgschaftsübersicht« vom 30. Juni 1942, insgesamt 2 653 jüdische Zwangsarbeiter, davon 2 160 Frauen und Mädchen. Vornehmlich mit deren Hilfe, sprich: aufgrund rücksichtsloser Ausbeutung, stieg der Umsatz in Trzebinia von 101 861 RM im Dezember 1941 auf 1 300 619 RM im April 1942, also binnen vier Monaten auf mehr als das Zwölffache!

Die erhalten gebliebenen Berichte des deutschen Aufsichtspersonals geben Einblick in die im Ries-Werk Trzebinia damals herrschenden schrecklichen Zustände, zeigen die rigorose Ausbeutung und die täglichen Mißhandlungen der für Dr. Ries schuftenden Frauen und Mädchen.

So berichtete etwa der von Ries dort eingesetzte Aufseher Bilke, der dann zum »Zweigbetriebsleiter« befördert wurde, über »Erprobungen« in der Zeit vom 21. bis 23. August 1942: »Die praktische Arbeit hat ergeben, daß mit den vorhandenen Kräften, aus welche (!) wir die 3. Schicht bildeten, aus Kindern und Jugendlichen zusammengesetzt war, infolgedessen wurde keine wesentliche Leistung erzielt ... Die sich jetzt ergebende Leistungsziffer hat gezeigt, daß in der Näherei weiterhin noch bessere Ergebnisse zu erwarten sind. Um den verlangten Satz zu erreichen, lasse ich die Arbeiter hintereinander bis zu 14 Stunden an ihren Platz sein um sie durch diese Maßnahme an schnelleres Arbeiten zu gewöhnen.«

Aus einer anderen Werksnotiz, ebenfalls vom Sommer 1942, geht hervor, daß der jüdische Belegschaftsarzt Dr. Ritter vergeblich um hygienische Maßnahmen, etwa die Entleerung der überfüllten Klosettanlagen, bat. Als ihm der von Ries eingesetzte Direktor Kotzam erlaubte, »eine jüdische Sanitäterin, zumindest für die Nachtschicht, einsetzen zu dürfen, da besonders in der Nachtschicht infolge Übermüdungserscheinungen Fingerdurchstiche häufig vorkommen«, wurde er von Ries der »Judenfreundlichkeit« beschuldigt und gefeuert. Etwa gleichzeitig erging folgende Anordnung: »Wir haben den Arbeitskräften ... erklärt, daß die Arbeitsleistung in den nächsten Tagen wesentlich gesteigert werden muß, da wir sonst annehmen, daß die Arbeit sabotiert wird«; was nach Lage der Dinge eine klare Morddrohung war, denn nachlassende Leistung oder gar Sabotage wurde mit sofortiger »Umsiedlung« in das knapp 20 Kilometer entfernte KZ Auschwitz geahndet, wo »Arbeitsunfähige« sofort vergast wurden.

Da die deutschen Behörden aber bereits damit begannen, alle Juden der Gegend, ohne Rücksicht auf ihren Wert als Arbeitskräfte der »Oberschlesischen Gummiwerke« des Dr. Ries, nach Auschwitz zu schaffen, beschloß dieser »Vollblutunternehmer«, aus der Not eine Tugend zu machen, zumindest für sich selbst. Er bezog in seine Überlegungen ein, daß die Umsätze zurückgingen; daß durch den Abtransport, zuerst der jüdischen Männer, wertvolle Arbeitskräfte verlorengingen, die noch keineswegs völlig verbraucht waren, und daß durch das Auseinanderreißen der Familien auch die Leistung der zurückgebliebenen Frauen und Mädchen rapide sank, was wohl psychische Gründe haben mochte. Und da am Ende sicherlich auch diese letzten Fachkräfte »umgesiedelt« werden würden – zwecks späterer Ermordung, wie alle Beteiligten wußten –, galt es Vorsorge für seinen Konzern zu treffen. Da hatte nun ein trefflicher Ries-Mitarbeiter die Idee, die nach Auschwitz »umgesiedelten« und dort auf ihren Tod wartenden Juden nicht unproduktiv im KZ herumsitzen zu lassen, sondern ihre Wartezeit mit nutzbringender Arbeit für den Ries-Konzern auszufüllen.

Und so geschah es: Im Lager Auschwitz wurde eine »Großnebenstelle« errichtet. »Es stehen in Kürze etwa 3 000 bis 5 000 weibliche Arbeitskräfte zur Verfügung«, heißt es in der Meldung vom 10. Juli 1942. Die erforderlichen Näh- und sonstigen Maschinen aus dem Besitz schon ermordeter jüdischer Handwerker kaufte der Ries-Konzern der SS billig ab, und fortan brauchte sich Dr. Ries, der in einer schönen, eigens für ihn »beschlagnahmten« Villa in Trzebinia wohnte, um die »Arbeitsmoral« seiner Belegschaft nicht mehr zu sorgen. Darum kümmerte sich die SS, und die »Oberschlesischen Gummiwerke« lieferten nur das zu verarbeitende Material und holten die fertige Ware im KZ ab, um sie mit sattem Gewinn an die Wehrmacht und andere Abnehmer zu verkaufen.

Wie in Ostoberschlesien und Galizien, so hatte Dr. Ries noch einige weitere Produktionsstätten im annektierten Polen in Konzernbesitz gebracht, unter anderen einen Großbetrieb in Lodz, das die Deutschen in »Litzmannstadt« umgetauft hatten, mit einem Werksgelände von 23 000 Quadratmetern, einer 5 000 Quadratmeter großen, neuen Maschinenhalle mit 15 Walzwerken, sechs Kalandern, einem Riesenkneter, vier Streichmaschinen nebst Antriebsmotoren sowie 20 Pressen zur Herstellung von Autoreifen und von monatlich 15 000 Paar Gummischuhen, alles in betriebsfertigem Zustand, dazu eine nagelneue, in Danzig gebaute Kraftanlage und alles zusammen zu einem lächerlich niedrigen Preis, da es sich ja um beschlagnahmten »Judenbesitz« handelte. Indessen bezahlte Dr. Ries nicht einmal diese geringfügige Summe aus eigener Tasche oder aus Konzernmitteln; er ließ sich vielmehr ein »Aufbaudarlehen« bewilligen.

Natürlich arbeiteten auch die »Gummiwerke Wartheland«, wie Dr. Ries seine Lodzer Erwerbung nannte, erst mit jüdischen, dann mit polnischen Zwangsarbeitern; nur die Aufseher und das Wachpersonal erhielten reguläre Bezahlung.

Nebenbei bemerkt, auch die deutschen »Gefolgschaftsmitglieder« wurden bespitzelt und »vertraulich« gemeldet, etwa wenn sie den katholischen Gottesdienst besucht hatten. Und schließlich ging die Brutalität im Ries-Konzern so weit, daß die polnischen Arbeitskräfte, zumeist junge Frauen und Mädchen, nicht nur nach beendeter Schicht in einem Barackenlager unter Aufsicht gestellt, sondern auch während der Arbeitszeit im Saal eingeschlossen und nach Schluß der Arbeit durchsucht wurden. Verantwortlich für diese und andere »energische« Maßnahmen war ein von Dr. Ries im zweiten Halbjahr 1944 eingestellter neuer Direktor, der am 30. Oktober 1944 auch schriftlich anordnete, daß jeder »Mitarbeiter«, der mehr als einmal an seinem Arbeitsplatz unentschuldigt fehlte, zur »außerbetrieblichen Bestrafung« – durch die Gestapo – zu bringen sei.

Zu dieser Zeit war die »Verlagerung« – das heißt: der Abtransport nach Westen von allem, was nicht niet- und nagelfest war – bereits in vollem Gange, und der neue

Direktor erwarb sich bei der Rettung des Ries-Besitzes vor der anrückenden Roten Armee »durch Umsicht, Schneidigkeit und Härte«, wie Dr. Ries ihm bescheinigte, große Verdienste.

Der Name dieses neuen Direktors, der ein »Alter Kämpfer« der Nazipartei und zuletzt Leiter einer Dienststelle im schon geräumten Krakau gewesen war, soll hier nicht verschwiegen werden: Es handelte sich um Artur Missbach, einen späteren CDU-Bundestagsabgeordneten, der als solcher vor allem dadurch von sich reden machte, daß er Ende der 60er Jahre auf amtlichem Papier des Bundestags Werbebriefe für die Investment-Schwindelfirma IOS verschickte. Mit dem Bundesadler im Briefkopf pries MdB Missbach damals die IOS-Zertifikate als »die derzeit beste und sicherste Anlage mit der höchsten Rendite« an, und gleichzeitig verkaufte er – unter dem Decknamen »Sebastian Bach« – für mindestens drei Millionen Dollar IOS-Anteile an deutsche Sparer, die den – wegen Steuerhinterziehung landesflüchtigen – »Sebastian Bach« dann ebenso verfluchten wie ihre wertlos gewordenen Papiere. Allerdings gab Missbach noch jahrelang »Vertrauliche Mitteilungen aus Politik und Wirtschaft« heraus, die noch heute erscheinen und ultrarechte Propaganda mit Ratschlägen für »sichere« Geldanlagen in fernen Ländern geschickt verbinden. Die Anzahl der Strafanzeigen von Bundesbürgern, die sich von Artur Missbach betrogen fühlen, füllen mehr als ein Dutzend Leitz-Ordner, doch die Aussichten, daß die Justizbehörden seiner habhaft werden, sind gering, denn er hat sich in der Schweiz niedergelassen.

Doch zurück zu Dr. Ries, den mit seinem Direktor Missbach sehr zufriedenen Konzernchef, der im Winter 1944/45 seine riesige Beute aus Polen mit Lastwagen-Konvois und Güterzügen weit nach Westen »verlagerte«. Hauptziel dieser Transporte, zumal der wichtigsten Maschinen, war Hoya an der Weser (wo der damalige

Er erfand 1972 die Formel »Freiheit oder Sozialismus«: Artur Missbach, einst Ries-Gehilfe im Bereich von Auschwitz; seit 1931 NSDAP, seit 1947 CDU.

»Reichsbevollmächtigte für den totalen Kriegseinsatz«, Dr. Josef Goebbels, persönlich für Dr. Ries intervenierte und ihm Grundstücke und Gebäude »zuwies«, die eigentlich für die Luftwaffe vorgesehen waren); die Mantelstoffe und andere kostbare Textilien wurden in ländlichen Gebieten Bayerns eingelagert, und was die Bargeldbestände des Konzerns betraf, so erinnerte sich Ries-Tochter Monika – der 17. Zivilkammer des Landgerichts Stuttgart im Prozeß um das Buch »Großes Bundesverdienstkreuz«* als Zeugin benannt – deutlich daran, wie sich ihr Vater im Familienkreis am abendlichen Kaminfeuer häufig mit Stolz dazu bekannt hat, anno 1945 »Riesensummen persönlich und kofferweise nach Westen geschafft« zu haben.

Fünf Jahre später indessen, am 28. November 1950, schilderte Dr. Ries seine Lage gegen und nach Kriegsende folgendermaßen: »1944 gründete ich die Gummiwerke Hoya GmbH. Mit dieser Gründung wollte ich lediglich einen Teil der Maschinen aus den mir gefährdet erscheinenden östlichen Gebieten retten. Tatsächlich waren bei Kriegsende in Hoya neue Maschinen für etwa 1,5 Millionen RM gelagert ... Weiterhin standen mir bei Beendigung des Krieges einige hunderttausend Meter Stoff zur Verfügung ...« Um einen Teil des kofferweise geretteten, aber immer wertloser werdenden Bargelds anzulegen, erwarb Dr. Ries kurz nach Kriegsende auf der am weitesten westlich gelegenen deutschen Nordseeinsel Borkum »Köhlers Strandhotel«, das größte Haus am Platze. Es stellte nach heutigen Maßstäben ein Multimillionenobjekt dar. Was aber der Besitz von »einigen hunderttausend Metern Stoff« in den Notjahren 1945/48

---

* Bernt Engelmann, »Großes Bundesverdienstkreuz«, rororo-Taschenbuch Nr. 1924. Darin ist der Werdegang des Kohl-Entdeckers Dr. Fritz Ries, der hier nur auszugsweise wiedergegeben ist, detailliert geschildert und dokumentarisch belegt.

bedeutete, läßt sich heute überhaupt nicht mehr ermessen. Mit drei Metern Anzug- oder Mantelstoff konnte vor der Währungsreform vom Juni 1948 durch Tausch oder Verkauf auf dem Schwarzen Markt die Ernährung einer fünfköpfigen Familie für mindestens zwei Monate sichergestellt werden.

Jedenfalls darf man sagen, daß Dr. Fritz Ries das »Dritte Reich« und den Zweiten Weltkrieg nicht nur heil, sondern geradezu glänzend überstanden hatte. In den vier Jahren, die er im Familienkreis scherzhaft die »Abenteuer eines jungen Herrn in Polen« zu nennen pflegte, waren ihm Abermillionen an Beute zuteil geworden, nicht allein wertvolle Maschinen, waggonweise Mantel-, Anzug- und andere Stoffe, Lastwagenladungen von Autoreifen, Gummischuhen und -mänteln, kofferweise Bargeld sowie Wertgegenstände, Möbel und Teppiche, sondern auch Gold und Brillanten seiner Zwangsarbeiter, wie die erhalten gebliebenen Dokumente zeigen.

Um so erstaunlicher ist es, daß Dr. Ries, gebürtiger Saarbrücker, der dann in Leipzig, vorübergehend mit Zweitwohnsitz in Trzebinia bei Auschwitz, dann in Hoya und auf Borkum gewohnt und seine Konzernzentrale erst 1945 von Leipzig nach Hoya und später nach Frankenthal in der Pfalz verlegt hatte, von den rheinland-pfälzischen Behörden als »Vertriebener« anerkannt wurde, ja daß sie ihm sogar einen »Vertreibungsschaden« bescheinigten! Mit Datum vom 10. Oktober 1953 – Aktenzeichen 16/M/ke – bestätigte ihm das Ausgleichsamt bei der Stadtverwaltung Frankenthal/Pfalz zur Unterstützung seines Antrags auf Gewährung eines Arbeitsplatzdarlehens von 125 000 DM aus Landesmitteln, »daß der Antragsteller beim Ausgleichamt Frankenthal die Feststellung der folgenden Vertreibungsschäden beantragt hat:
1. Geschäftsanteil an der ›Oberschlesischen
   Gummiwerke GmbH‹, Trzebinia über
   Nennbetrag (Kapitalforderung)   1 445 000 RM

2. Geschäftsanteil an der ›Gummiwerke
   Wartheland AG‹, Litzmannstadt über   500 000 RM
3. Verlust eines Einfamilienhauses mit
   10 Zimmern in Trzebinia Kreis Krenau
   (OS)-Grundvermögen

Weiter wird bestätigt, daß die Angaben des Antragstellers in dem Feststellungsantrag hinreichend dargetan sind.«

Und so wie in diesem Fall ging es dutzendfach weiter: An jeder Finanzquelle, die die öffentliche Hand einem schuldlos verarmten und unterstützungsbedürftigen Vertriebenen, der einerseits im Osten angeblich Millionenverluste erlitten hatte, andererseits neue Arbeitsplätze zu schaffen bereit war, damals sprudeln ließ, labte sich Dr. Ries in reichem Maße. Glücklicherweise – für ihn – hatte man ihn als bloßen »Mitläufer« der Nazipartei eingestuft, und damit galt der Kriegsgewinnler und als V-Mann der Gestapo auserwählte Dr. Ries in Rheinland-Pfalz als politisch völlig unbelastet. Wann immer sich bei den Lastenausgleichs- und anderen Ämtern Zweifel regten, etwa was die hohen »Vertreibungsschäden« des Dr. Ries betraf, wurden sie – so nachzulesen in den Akten des damaligen Ries-Generalbevollmächtigten für die Regelung seiner »Ansprüche«, Dr. Grote-Mismahl – durch politischen Druck beseitigt. Wer diesen Druck ausübte, läßt sich nicht mehr mit Sicherheit feststellen, und es wäre unfair, diese Machenschaften dem 1953 gerade erst zum Mitglied des Geschäftsführenden Vorstands der pfälzischen CDU aufgerückten Helmut Kohl anzulasten, von dem allerdings feststeht, daß er später, als er in den 60er Jahren einer der einflußreichsten Politiker im CDU-regierten Bundesland Rheinland-Pfalz wurde, seinem langjährigen Förderer Dr. Ries wiederholt sehr behilflich war. So stellt sich die Frage, ob Helmut Kohl über die düstere Vergangenheit seines Gönners Bescheid wußte. Ries-Tochter Monika Krall, anwaltlich als Zeugin gehört, war sich nicht absolut sicher, ob ihr »Vater auch in Gegenwart von Dr. Kohl sich seiner so profitablen Unternehmertätigkeit in Polen gerühmt hat, und wenn, ob dann nur so allgemein oder mit genauen Einzelheiten«. Eine damalige Ries-Angestellte, die sich ihrerseits genau daran erinnert, »wie der Herr Konsul Dr. Ries dem Herrn Dr. Kohl stolz von seinen ›kriegswichtigen‹ Betrieben in Polen und von den ›glücklicherweise‹ in großer Zahl zur Verfügung stehenden jüdischen und polnischen Zwangsarbeitern erzählt hat«, und sogar das ungefähre Datum noch wußte: »Es war im Frühjahr 1967 – der Herr Konsul bekam das Große Bundesverdienstkreuz, das Herr Dr. Kohl, damals CDU-Landesvorsitzender, ihm verschafft hatte –, und er erzählte, er hätte damals in Polen das Kriegsverdienstkreuz verliehen bekommen ...«, wollte begreiflicherweise nicht namentlich genannt werden. Indessen spielt die Frage, ob Dr. Helmut Kohl schon damals, 1967, die ganze Wahrheit über die Vergangenheit seines langjährigen Förderers kannte, insofern keine Rolle, als Kohl, seit 1969 Ministerpräsident von Rheinland-Pfalz, 1972 dem Dr. Ries auch noch den Stern zum Großen Bundesverdienstkreuz an die Brust heftete, und zu diesem Zeitpunkt war Kohl, wie sich beweisen läßt, über die »Arisierungen«, die Ries betrieben hatte, ebenso unterrichtet wie über dessen »unternehmerische Tätigkeit« in und bei Auschwitz, desgleichen darüber, daß die »Vertreibungsschäden« und Lastenausgleichsansprüche seines reichen Gönners erschwindelt waren.

Helmut Kohl war jedoch zu dieser Zeit längst nicht mehr der einzige Spitzenpolitiker der Unionsparteien, von denen Dr. Ries stolz behaupten zu können meinte: »Wenn ich den nachts um drei anrufe, muß er springen!«

Dazu muß man wissen, daß sich Konsul Dr. Ries, dessen »Pegulan«-Konzern damals noch florierte, einen – wie er fand – »standesgemäßen« Landsitz nebst Jagdrevier, Golfplatz und Schloß zugelegt hatte: das als »Perle der Steiermark« gerühmte Schloßgut Pichlarn, eine der schönsten Besitzungen Österreichs. Dort verkehrten als Gäste des Schloßherrn Dr. Ries – nach den Veröffentlichungen der Lokalpresse in den frühen 70er Jahren – etliche führende Persönlichkeiten der bundesdeutschen Wirtschaft und Politik, von denen wir hier ein knappes Dutzend als repräsentative Auswahl nennen und zu jedem Namen ein paar Erläuterungen geben wollen:

»Herr Generalbevollmächtigter Tesmann (es handelte sich um Rudolf Tesmann, geboren 1910 in Stettin, einen früheren hohen SS-Führer – letzter bekannter Dienstgrad [1943]: SS-Obersturmbannführer –, vom März 1944 bis Kriegsende Verbindungsmann zu Reichsleiter Martin Bormann; Tesmann wurde 1945 von den Engländern interniert und von seinem Mitgefangenen, dem Kaufhauskönig Helmut Horten, nach beider Entlassung 1948 in den Horten-Konzern, zuletzt als Generalbevollmächtigter, übernommen. Tesmann war außerdem damals Präsidiumsmitglied des ›Wirtschaftsrats der CDU‹);

Herr Generaldirektor Dr. Felix Prentzel (hier handelte es sich um den 1905 in Koblenz geborenen, seit 1932 in leitenden Positionen der Chemie-Industrie tätigen, im Kriege im Reichswirtschaftsministerium als stellvertretender Leiter der Abteilung 6 – Besetzte Ostgebiete – eingesetzten und seitdem mit Dr. Fritz Ries gut bekannten, späteren Ministerialdirigenten im Bundeswirtschaftsministerium unter Ludwig Erhard, der 1955 von der Familie Henkel in den Vorstand des DEGUSSA-Konzerns berufen und dort bald Generaldirektor geworden war. Prentzel gehörte ebenfalls dem ›Wirtschaftsrat der CDU‹ an und war Präsidiumsmitglied des Deutschen Atomforums, wo er die Henkel-Interessen an der Reaktorbau-Holdingfirma NUKEM in Hanau [DEGUSSA-Beteiligung: 35 Prozent] vertrat.);

Herr Dr. Hanns Martin Schleyer, Vorstandsmitglied der Daimler-Benz AG, mit Frau (den wir bereits kennenge-

Traut vereint, politisch wie privat oder auch geschäftlich: Ries-Partnerin Marianne Strauß, Konsul Ries, langjähriger Ries-Schützling Helmut Kohl, Ries-Intimus Franz Josef Strauß.

lernt haben und von dem noch im Zusammenhang mit der politischen Karriere Helmut Kohls die Rede sein wird);

Herr Dr. Alfred Dregger mit Frau (damals Vorsitzender der hessischen CDU und CDU-Fraktionsvorsitzender im hessischen Landtag, seit 1982 Fraktionsvorsitzender der CDU/CSU im Bundestag);

Herr Bundestagsabgeordneter Siegfried Zoglmann (geboren 1913 in Neumark/Böhmerwald, seit 1928 Mitglied der in der Tschechoslowakei verbotenen Hitlerjugend (HJ), 1934 HJ-Führer in der Reichsjugendführung in Berlin, 1939 oberster Führer der HJ im ›Protektorat Böhmen und Mähren‹ und Abteilungsleiter beim ›Reichsprotektor‹. 1940 erbat und erhielt Zoglmann vom Reichsführer SS Heinrich Himmler persönlich die Erlaubnis, als SS-Offizier in die ›Leibstandarte SS Adolf Hitler‹ eintreten zu dürfen; letzter bekannter Dienstgrad [1944]: SS-Untersturmführer. 1950 wurde Zoglmann Mitglied des NRW-Landesvorstands der FDP, 1954 bis 1958 FDP-Landtagsabgeordneter in Düsseldorf, seit 1957 Mitglied des Bundestages, zunächst FDP, seit 1972 der CSU. Mit Hilfe Zoglmanns und anderer FDP-Überläufer sollte damals Willy Brandt gestürzt werden; die Verhandlungen hierüber wurden auf dem Ries-Schloß Pichlarn geführt.);

Herr Dr. Eberhard Taubert (geboren 1907 in Kassel, seit 1931 Mitglied der NSDAP, leitete von 1932 an die Rechtsabteilung der Nazi-Gauleitung von Groß-Berlin, SA-Sturmführer und enger Mitarbeiter von Dr. Josef Goebbels, in dessen Reichsministerium ›für Volksaufklärung und Propaganda‹ Taubert 1933 eintrat, zunächst als Referatsleiter, zuständig für die ›Aktivpropaganda gegen die Juden‹. Von 1942 an Chef des Generalreferats Ostraum und Ministerialrat, daneben seit 1938 Richter am 1. Senat des ›Volksgerichtshofs‹, beteiligt an Todesurteilen gegen in- und ausländische Widerstandskämpfer. Außerdem lieferte Dr. Taubert Idee und Text zu dem 1940 uraufge-

Bonns »Braune Eminenz« Dr. Eberhard Taubert, einst oberster Juden-hetzer des Dr. Goebbels, dann Strauß-Berater und Ries-Gehilfe.

führten Hetzpropaganda-Film ›Der ewige Jude‹, worin die in Gettos und KZs eingepferchten Juden mit Ratten und anderem Ungeziefer verglichen wurden. Bei Kriegsende tauchte Dr. Taubert zunächst unter, dann um 1950 in Bonn wieder auf, wo er für den damaligen Bundesverteidigungsminister Franz Josef Strauß zeitweise als Fachmann für psychologische Kriegführung tätig war. Proteste des Zentralrats der Juden führten dazu, daß sich Strauß von seinem Berater Dr. Taubert trennen mußte. Seitdem arbeitete Dr. Taubert als Leiter der Rechtsabteilung und des Persönlichen Büros von Konsul Dr. Fritz Ries beim ›Pegulan‹-Konzern in Frankenthal/Pfalz, was schon vermuten ließ, daß Dr. Ries zur CSU-Spitze, womöglich zu Franz Josef Strauß selbst, ebenfalls in guten Beziehungen stand, und tatsächlich finden sich auf der in der steiermärkischen Presse veröffentlichten Gästeliste der frühen 70er Jahre auch);

Dr. Richard Stücklen, Vorsitzender der CSU-Landesgruppe im Deutschen Bundestag, mit Frau;

Dr. Friedrich Zimmermann, Mitglied des Bundestages (CSU) – außerdem damals schon, nach zielstrebigem Aufstieg bis zum CSU-Generalsekretär, stellvertretender Chef der CSU-Landesgruppe im Bundestag und Vorsitzender des Verteidigungsausschusses – sowie, *last not least:*

Herr Bundesminister a. D. Franz Josef Strauß, Vorsitzender der bayerischen CSU, mit Frau ...«

Was die steiermärkischen Zeitungen nicht wußten: Franz Josef Strauß und Konsul Dr. Fritz Ries waren zu der Zeit bereits Duz-Freunde; ihre Bekanntschaft war – so jedenfalls erzählte er selbst dem Autor – von Hanns Martin Schleyer vermittelt worden, und überdies hatte Dr. Ries die Familie Strauß, genauer: Frau Marianne Strauß, geborene Zwicknagl, als Teilhaberin gewonnen, dies übrigens, ohne daß es Frau Strauß einen Pfennig gekostet hätte. Schon etwa ein Jahr zuvor war Frau

Marianne Strauß in die am 23. Februar 1971 gegründete Ries-Gesellschaft »Dyna-Plastik« in Bergisch-Gladbach eingetreten, laut Handelsregisterauszug zunächst mit einer Kommanditeinlage von 304 500 DM. Das entsprach damals einer Beteiligung von etwa 14 Prozent. 1973 wurde das »Dyna-Plastik«-Kapital erhöht, wobei der Anteil von Frau Strauß auf 406 000 DM oder 16 Prozent des Kapitals anstieg. Doch laut Auskunft der »Dyna-Plastik«-Geschäftsführung hat Frau Strauß weder die erste Einlage noch die spätere Erhöhung einzuzahlen brauchen; diese sollten sich »vielmehr aus den Erträgen auffüllen« – im Klartext: Dr. Ries hatte der Ehefrau seines politisch so einflußreichen Duzfreundes ein kleines Geschenk gemacht, eine erst 14-, dann 16-prozentige Beteiligung an einer gutgehenden Konzern-Tochtergesellschaft, wohl in der richtigen Annahme, daß kleine Geschenke die Freundschaft erhalten, weshalb weitere ähnliche Beteiligungen der Frau Marianne Strauß an Ries-Gesellschaften folgten.

Die enge Freundschaft des CSU-Vorsitzenden, seine Bewunderung für die unternehmerischen Leistungen des Dr. Ries und die Beteiligung von Frau Marianne Strauß am Ries-Konzern, dessen materielle Grundlagen ja, wie wir bereits wissen, mindestens teilweise in und um Auschwitz gelegt worden waren, erklären vielleicht das von der »Frankfurter Rundschau« zitierte Strauß-Wort (von dem FJS aber inzwischen abgerückt ist), das im Wahlkampf des Jahres 1969 viel Aufsehen erregte: »Ein Volk, das diese wirtschaftlichen Leistungen erbracht hat, hat ein Recht darauf, von Auschwitz nichts mehr hören zu wollen!«

Diese makabre und – wenn man die Zusammenhänge berücksichtigt – ungewöhnlich zynische Feststellung soll Strauß, laut ausführlichem Bericht der »Frankfurter Rundschau« vom 13. September 1969 in einer Wahlkampfrede getroffen haben. Damals war er als amtieren-

»Ein Volk, das diese wirtschaftlichen Leistungen vollbracht hat, hat ein Recht darauf, von Auschwitz nichts mehr hören zu wollen!«, so – laut »Frankfurter Rundschau« – Franz-Josef Strauß, der es nicht gesagt haben will.
Duzfreunde Strauß und Ries, die Hände (in Unschuld) waschend.

der Bundesfinanzminister ein für Dr. Ries besonders wichtiger Freund.

Helmut Kohl, der es, nicht zuletzt dank der Starthilfe und langjährigen Förderung durch seinen Gönner Dr. Ries, längst zum rheinland-pfälzischen Ministerpräsidenten gebracht, Ende Mai 1970 auch schon seine Kandidatur für den CDU-Bundesvorsitz bekanntgegeben und sich im Oktober 1971 auf dem CDU-Bundesparteitag in Saarbrücken eine Abfuhr geholt hatte – statt seiner war Rainer Barzel zum Bundesvorsitzenden gewählt worden –, beobachtete das »Techtelmechtel« seines Mäzens mit dem CSU-Boß Franz Josef Strauß mit sehr gemischten Gefühlen. Denn Helmut hatte nicht nur beschlossen, nochmals und diesmal erfolgreich für den CDU-Bundesvorsitz zu kandidieren, sondern wollte noch höher hinaus: Er wollte 1975 Kanzler-Kandidat der Union werden, und spätestens dann würde er in Strauß einen gefährlichen Rivalen haben.

Indessen hätte ihn sein väterlicher Freund Dr. Ries schon damals beruhigen können: Ries und seine einflußreichen Freunde aus der bundesdeutschen Konzernwelt hatten bereits ganz bestimmte Pläne, und tatsächlich waren sie sich schon einig geworden, es mit Helmut Kohl als Kanzlerkandidaten zu versuchen, wogegen sie nach langem Hin und Her Franz Josef Strauß als »wenig geeignet« angesehen und von der Liste der möglichen Kanzlerkandidaten gestrichen hatten.

Allerdings, auch darin waren sich die Herren des Großen Geldes einig geworden, sollte Helmut Kohl »eine intellektuelle Stütze« erhalten, denn so unbestritten Kohls demagogische Talente und sein rücksichtsloser Gebrauch der Ellbogen waren, so wenig vertraute man seinen geistigen Fähigkeiten. Deshalb war – auf Schloß Pichlarn – entschieden worden, eine »Nummer Zwei« an Helmut Kohls Seite zu stellen, einen – wie der damalige Hauptbeteiligte es nannte – »Intelligenzbolzen«, der als

Kanzleramtsminister Kohls intellektuelles Defizit ausgleichen und in Wahrheit »die Richtlinien der Politik bestimmen« sollte.

Und wieder war es Dr. Fritz Ries, der dazu ausersehen wurde, einerseits die schon erkorene »Nummer Zwei« auf den gemeinsam gefaßten Plan »einzustimmen«, andererseits seinem Schützling Kohl klarzumachen, daß er diese »Nummer Zwei« brauchen würde und zu akzeptieren hätte.

Wie Dr. Ries diese heikle Aufgabe löste, verdient – wie das nächste Kapitel zeigen wird – uneingeschränkte Bewunderung, auch wenn man mit dem Resultat keineswegs einverstanden sein muß.

Mittelfristige Planung
eines Kanzlerwechsels

Zum besseren Verständnis vorausgeschickt: Im Juli 1976 hatte der Autor dieses Schwarzbuches ein längeres Gespräch mit Dr. Hanns Martin Schleyer, damals Vorstandsmitglied der Daimler-Benz AG in Stuttgart-Untertürkheim und deren Personalchef, auch bereits (seit 1973) Präsident der Bundesvereinigung der Deutschen Arbeitgeberverbände (BDA) in Köln, jedoch noch nicht zugleich Präsident des BDI, des Bundesverbands der Deutschen Industrie.

Die Unterhaltung, die zugleich die erste Begegnung der beiden Gesprächspartner war, fand mittags in einem privaten Salon eines Münchner Nobelhotels statt – auf Einladung Dr. Schleyers und unter vier Augen. Anlaß dafür, daß Dr. Schleyer den Autor des 1974 erschienenen Tatsachenromans »Großes Bundesverdienstkreuz«, der die Nazivergangenheit seines Studienfreundes und Bundesbruders Dr. Ries (und nebenbei auch Dr. Schleyers eigene) aufgedeckt hatte, einmal persönlich sprechen wollte, war wohl der Verlauf des Prozesses Dr. Ries gegen Bernt Engelmann beim Landgericht Stuttgart, der sich sehr negativ für Dr. Ries auszuwirken begann, weil alle von ihm energisch bestrittenen Fakten (»Arisierungen«, Vormerkung als Gestapo-V-Mann, Ausbeutung jüdischer und anderer Zwangsarbeiter und so weiter) vom Autor mit Dokumenten unwiderlegbar bewiesen werden konnten. Das hatte sich ungünstig ausgewirkt auf die Kreditverhandlungen, die der mit seinem »Pegulan«-Konzern in Absatzschwierigkeiten und infolgedessen in eine Finanzkrise geratene Dr. Ries damals zu führen gezwungen war. »Pegulan« (Aufsichtsratsvizepräsident: Dr. Schleyer) benötigte Landesbürgschaften der rheinland-pfälzischen Regierung (damaliger Chef: Helmut Kohl), und es stand zu befürchten, daß im Mainzer Landtag peinliche Fragen gestellt werden würden, etwa frühere »Aufbaudarlehen« aus Landesmitteln betreffend, die der angeblich unbelastete »Vertriebene« Dr. Ries erhalten hatte. Kurz, Dr. Schleyer wollte wohl sondieren, was der Autor des »Großen Bundesverdienstkreuzes« noch alles herausgefunden hatte und was er davon zu publizieren gedachte.

Beim Mittagessen und danach beim Kaffee zeigte sich Dr. Schleyer ungewöhnlich offen. Soweit es seine und seiner Freunde politischen Pläne betraf, erklärte er, es sei ein Irrtum zu glauben, Franz Josef Strauß sei ihr Favorit für das Kanzleramt. »Er hat große Qualitäten«, sagte Dr. Schleyer über FJS, »aber er ist zu unkontrolliert und – zu angreifbar ...«

Daß Strauß Schleyer und seinen Freunden als »zu angreifbar« erscheinen konnte, dafür gab es auch 1976 bereits zahlreiche Gründe, die scheinbar sämtlich mit dem zusammenhingen, was das Landgericht München mit der Feststellung umrissen hatte, daß ihm (Strauß) zweifellos »der Ruch der Korruption« anhafte. Jeder politisch Informierte dachte, wenn er den Namen Franz Josef Strauß hörte, unwillkürlich an die Skandale und Affären, in die der CSU-Vorsitzende, ehemalige Bundesverteidigungs- und spätere Bundesfinanzminister Strauß immer und immer wieder verwickelt gewesen war:

– an die Skandale im Zusammenhang mit der Beschaffung des Schützenpanzers HS 30 unseligen Angedenkens;

– an die bayerische Spielbanken-Affäre und in diesem Zusammenhang an die Zerschlagung der Bayernpartei-Konkurrenz, zu der der Strauß-Spezi Fritz Zimmermann seine beeidete, aber »objektiv unwahre« Aussage beisteuerte;

– an die haarsträubenden Machenschaften im Zusammenhang mit der Beschaffung des »Unglücksvogels«, des »Starfighter F 104 G«, wobei das jeder Beschreibung spottende Verhalten des Ministers Strauß auf Dienstreisen, so 1959 in den USA, nur einen Nebenaspekt bildete, obwohl er sich die nicht unbeträchtlichen Kosten seiner zweifelhaften Vergnügungen teils von den amerikanischen Lieferfirmen, teils von den deutschen Steuerzahlern bestreiten ließ;

– an die die Bundesrepublik erschütternde »FIBAG«-Affäre, einen der letzten Höhepunkte seiner Laufbahn als Verteidigungsminister;

– an den »Onkel Aloys«-Skandal, wo Strauß einem völlig mittellosen Nenn-Onkel seiner Frau binnen weniger Monate zu Millioneneinnahmen verhalf und sich dem – dann eilig durch eidesstattliche Erklärungen des in die Schweiz verbannten »Onkels« ausgeräumten – Verdacht aussetzte, er selbst oder seine Frau hätten vom plötzlichen Reichtum des »Onkel Aloys« womöglich profitiert;

– an Dutzende weiterer Skandale, von denen jeder einzelne eigentlich seine politische Laufbahn hätte beenden müssen;

– und nicht zuletzt an die »Spiegel«-Affäre von 1962, wo Strauß den Staatsstreich probte, das Parlament dreist belog, dies dann, in die Enge getrieben, am Ende zugeben und mit dem ganzen Bundeskabinett zurücktreten mußte, das sich wenig später – ohne ihn – wieder neu bildete ...

kurz, es gab wahrlich Gründe genug, Franz Josef Strauß für »zu angreifbar« zu halten. Allerdings hatte Dr. Hanns Martin Schleyer, wie sich dann herausstellte, die Skandale des Franz Josef Strauß damit gar nicht gemeint, sondern diese unter die Rubrik »zu unkontrolliert« eingeordnet. Das ergab sich aus einem Zusatz, der sinngemäß etwa besagte: Ihm, Schleyer, sei es egal, daß die Leute nun wüßten, daß er mal SS-Führer gewesen sei;

zum Glück sei ja »das Schlimmste nicht herausbekommen« worden. Aber er, Schleyer, wolle ja nicht Kanzler werden – sonst würde es ihm so ergehen wie Kiesinger ...

Kurt Georg Kiesinger, Bundeskanzler von 1966 bis zum Herbst 1969, als er von Willy Brandt abgelöst wurde, war von 1933 bis 1945 Mitglied der NSDAP gewesen, wie allgemein bekannt war; man hatte ihn stets als »kleinen Mitläufer« angesehen und diesem Umstand auch keine Bedeutung beigemessen, als Kiesinger von 1958 bis 1966 baden-württembergischer Ministerpräsident gewesen war. Als Bundeskanzler aber erwies sich Kiesinger als »angreifbar«, denn nun kam ans Tageslicht, daß er – protegiert von seinem engsten und ältesten Freund Dr. Gerhard Todenhöfer, einem »Alten Kämpfer« der Nazi-Partei und Günstling Martin Bormanns – von 1940 bis 1945 der Rundfunkpolitischen Abteilung des Auswärtigen Amtes als Referatsleiter »Allgemeine Propaganda, Verbindung zum Reichspropagandaministerium« angehört und in engem Kontakt zu Dr. Eberhard Taubert an der judenfeindlichen Hetzpropaganda kräftig mitgewirkt hatte. Nach Kriegsende war Kiesinger deshalb 18 Monate lang in Haft gewesen.

Der logische Schluß aus Schleyers Bemerkung, hätte der Autor ihn damals schon gezogen, wäre gewesen: Strauß scheidet als möglicher Bundeskanzler aus, einmal wegen seines »unkontrollierten« Verhaltens, das heißt seiner vielen Skandale und Affären, zum anderen aber wegen seiner Nazi-Vergangenheit: Er wäre dadurch »zu angreifbar«, angesichts der unsozialen und reaktionären Politik, die seine Geldgeber von ihm erwarteten. Deshalb sollte der Kandidat frei von braunen Flecken auf der Weste sein, am besten das haben, was Helmut Kohl später vollmundig und auf sich selbst bezogen »die Gnade der späten Geburt« genannt hat.

Zur Klarstellung: Franz Josef Strauß leugnet seine Nazi-Vergangenheit entschieden und reagiert darauf mit

Dr. h. c. Kurt Georg Kiesinger, Bundeskanzler a. D., heute Ehrenvorsitzender der CDU.

Schimpfkanonaden (»Ratten und Schmeißfliegen«), eine Denk- und Redeweise, die ihre deutlichen Ursprünge in der Nazi-Mentalität hat. Tatsächlich war der jetzige bayerische Ministerpräsident, frühere Ries-Intimus und von Dr. Eberhard Taubert in psychologischer Kriegführung beratene Strauß nach Aktenlage und nach dem Urteil seiner Vorgesetzten ein »aktivistischer« Nazi und bot die Gewähr, sich jederzeit »rückhaltlos für den nationalsozialistischen Staat einzusetzen«. Er war keineswegs ein bloßer »Mitläufer«:

Franz Strauß – den zweiten Vornamen »Josef« legte er sich erst später zu, »weil's gemütlicher klingt« – gehörte schon als 22jähriger Student dem »Nationalsozialistischen Deutschen Studentenbund« (NSDStB) an, mit dem es folgende Bewandtnis hatte: Unter der Nazi-Diktatur gab es zwei nationalsozialistische Studentenorganisationen. In der einen, der »Deutschen Studentenschaft«, ließ sich die Mitgliedschaft für einen deutschen Studierenden damals kaum vermeiden; es war fast eine Zwangsorganisation. Für die andere, den NSDStB, traf das genaue Gegenteil zu: Hier war die Mitgliedschaft nicht nur freiwillig, sondern unterlag, ähnlich wie bei der SS, strengen Auswahlkriterien. Anfangs waren höchstens 5 000 Studenten zum NSDStB zugelassen, aber 1934 wurde vom »Stellvertreter des Führers«, Rudolf Heß, angeordnet, daß maximal nur rund 3 000 Studenten Mitglied werden konnten, denn – so Heß – der NSDStB solle »die politische Elite« der Nazipartei, »eine Art von intellektueller SS« sein, der Kader-Nachwuchs speziell für den Sicherheitsdienst (SD).

An der Spitze des NSDStB stand von 1936 an der »Reichsstudentenführer« Dr. Gustav Adolf Scheel, SS-Gruppenführer im Stab Himmlers. »Scheels führende Position im Sicherheitsdienst (der SS unter SS-Obergruppenführer Heydrich) erwies sich dazu als besonders wertvoll«, heißt es darüber in einer amerikanischen Studie,

»Zur Geschichte des NSDStB«, herausgegeben 1969 von der University of Michigan. »Es gelang ihm (Scheel) innerhalb eines Jahres, einen Nachrichtendienst innerhalb der Studentenschaft aufzubauen, welcher über alle Aktionen Bericht erstattete. Der geringste Verstoß gegen die Partei und ihre Mitglieder wurde ihm gemeldet. Sobald es irgendwelche Anzeichen von Aufbegehren oder auch nur Unzufriedenheit in der Studentenschaft gab, wurde schnell und ohne großes Aufsehen durchgegriffen ...« Der »Reichsjugendführer« Baldur von Schirach formulierte die Erwartungen, die die Naziführung in den NSDStB setzte, folgendermaßen: »Die nationalsozialistische Bewegung ... verlangt von euch, daß ihr auf der Hochschule mit Brutalität den Gedanken der Totalität der nationalsozialistischen Erziehung vertretet.«

Am 5. Oktober 1937 ordnete die Reichsstudentenführung an: »Ab 1. Januar 1938 tritt eine generelle Mitgliedersperre des NSDStB ein«, womit eine Aufnahmesperre gemeint war. Es war also gar nicht so leicht, in »Scheels Gestapo«, wie der NSDStB in der erwähnten amerikanischen Studie genannt wird, aufgenommen zu werden. Franz Josef Strauß gelang dies jedoch noch kurz vor Toresschluß, seiner Personalakte (siehe die faksimilierte Wiedergabe) nach am 1. November 1937. Von da an gehörte er zu »Scheels Gestapo«, zur »intellektuellen SS«. Und noch Jahrzehnte später – seinem früheren Auslandsreferenten Dieter Huber zufolge noch im Wahlkampfjahr 1976 – soll der CSU-Chef Post erhalten haben, adressiert »An den NSDStB-Spitzel Franz Strauß«, worin ihm vorgeworfen wurde, einen Kommilitonen, den seither verschollenen Bruder der Absenderin, denunziert zu haben. Huber will diesen Brief und die Reaktion von Strauß, als er ihn las, mit eigenen Augen gesehen haben. Als er dies im Juli 1980 öffentlich kundtat, erhob sich von seiten des sonst so prozeßfreudigen Strauß kein Widerspruch.

In der Personalakte, und zwar in dem »Vorschlag zur Ernennung RP 4158/43 des Studienassessors Franz Strauß zum Studienrat« (nachfolgend faksimiliert wiedergegeben), ist außerdem vermerkt, daß dieser seit dem 1. Mai 1937 »weltanschaulicher Referent und Rottenführer beim Sturm 23/M 86« des NSKK (Nationalsozialistisches Kraftfahr-Korps) war. Später hat Strauß dies mit seiner Leidenschaft fürs Motorradfahren zu rechtfertigen versucht, die er sonst nicht hätte befriedigen können. Das mag gewesen sein, wie es will, doch zumindest bleibt fraglich, ob es dazu nötig war, die Männer des Münchener Sturms 23/M 86 den Richtlinien gemäß ideologisch im Sinne der Nazis zu schulen. Jedenfalls mußten »weltanschauliche Referenten« des NSKK »einwandfrei zuverlässige, weltanschaulich gefestigte Nationalsozialisten« sein, zudem fähig, Führern und Mannschaften das NS-»Gedankengut« einprägsam zu vermitteln und sie »für Führer und Bewegung zu begeistern«.

Was das in der Praxis bedeutete, zeigen die Berichte, beispielsweise über den staatlich organisierten, beschönigend »Kristallnacht« genannten Judenpogrom vom 9. November 1938, bei dem auch in München die Synagoge geplündert und niedergebrannt, Geschäfte, Büros und Privatwohnungen jüdischer Bürger verwüstet, zahlreiche Menschen mißhandelt und ins KZ Dachau verschleppt wurden.

An dieser schändlichen, im ganzen Reich durchgeführten Aktion war das NSKK ebenso beteiligt wie SA und SS, wie zahlreiche Dokumente im Bundesarchiv (zum Beispiel die Akten R 58/1081) nachweisen. »Die Aktion wurde unter Mitwirkung des NSKK durchgeführt, das mit dem Wagen von Laden zu Laden fuhr ...«, heißt es auch in den »Deutschlandberichten« (Archiv der Friedrich-Ebert-Stiftung, 5. Jahrgang, 1938, S. 1195).

Schließlich heißt es in der Personalakte des Studienassessors Franz Strauß, er sei »seit Kriegsbeginn – mit

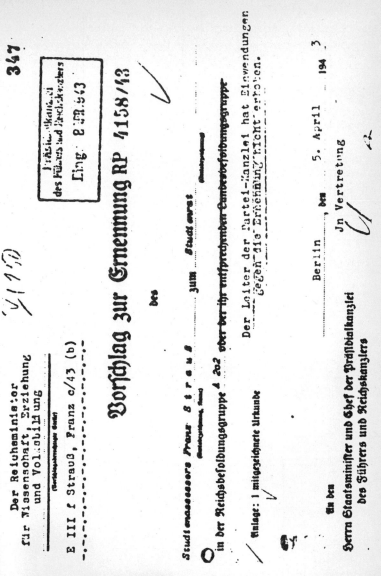

347

Der Reichsminister
für Wissenschaft, Erziehung
und Volksbildung

E III f Strauß, Franz c/43 (b)

Vorschlag zur Ernennung RP 4158/43

des

Studienassessors Franz Strauß zum Staatsrat

O in der Reichsbesoldungsgruppe A 2o2 oder der ihr entsprechenden Landesbesoldungsgruppe

Der Leiter der Partei-Kanzlei hat Einwendungen
gegen die Ernennung nicht erhoben.

Anlage: 1 mitgezeichnete Urkunde

Berlin, den 5. April 194 3

In Vertretung

An den
Herrn Staatsminister und Chef der Präsidialkanzlei
des Führers und Reichskanzlers

*Auf dieser und den folgenden Seiten ist die Ernennung von Franz Strauß
zum Beamten auf Lebenszeit von 1943 dokumentiert. Die Akte enthält die
Beweise für die – von Strauß bestrittene – Aktivität als Nazipropagandist
und als Mitglied einer »Elite«organisation (NSDStB).*

Bildungsgang oder Nachweis der sonstigen Eignung	Tag des Eintritts in den Reichs- oder Landesdienst	Bisherige dienstliche Laufbahn (insbesondere Zeitpunkt und Art der ersten planmäßigen Anstellung sowie der letzten Beförderung)	a) Bietet der Berufstätige nach seinem Verhalten die Gewähr, daß er jederzeit rückhaltlos für den nationalsozialistischen Staat eintrat? b) Wodurch ist [dies] nachgewiesen? Ihre Bescheinigung zur Zusammenstellung rückzureichen!
Lehramtsprüfung für den Unterricht in den klassischen Sprachen und der Geschichte: I. Abschnitt 1940 (Frühj.) Note I II. " 1940 (Herbst) "gut" bestanden. In den Prüfungsjahrgang 19>> Herbst vorgereiht.	1.1.1941	ab 1.4.1941 Studienassessor an der Oberschule für Jungen an der Damenstiftstraße in München. ab 1.5.1942 zum außerplanmäßigen Beamten an dieser Anstalt ernannt.	a) ja b) durch Prüfungsbogen und Urkunden.

INV.

9	10	11	12	13	14	15
Veröffentlichung von den Reichsgrundsätzen? Ob im Bestimmung der Reichsminister des Innern und des Inneren angehört?	Militärverhältnis a) früher (Ehrendienstzeit, Kriegsdienstpflicht?) b) jetzt	a) Mitglied der NSDAP? b) Seit wann? c) Nummer in der Partei? d) Durchführung und Zahlung Beiträge in SA, SS, NSKK, NSFK, HJ usw. (Angabe der Sturme usw.)	Welcher politischen Parteien und Verbände der Kamerad früher angehört und damit (kund?)	a) Emp.: b) ... Zu a) und b): Wo, wann wie wann? (begründ oder inwiewie viel?)	Gericht a) der ordentlichen Gericht b) der Parteigerichte	Bemerkungen
Nicht erforderlich	a) keines b) seit Kriegsbeginn im Heeresdienst (beurlaubt v.18.11.40 bis 14.8.41) Leutn.d.R.	b) nein b) — c) — d) — e) Angehör. des NSKK seit 1.5.57 weltanschaulicher Referent und Rottenführer beim Sturm 23/M 86 in München;	keinen	a) nein b) nein	a) keine b) keine	Die Vorschriften des Erlasses des Generalbevollmächtigten für die Reichsverwaltung vom 20.Mai 1940 -OBV 512/2... III.40 sind beachtet. Stud.Ass.Strauß ist seit Kriegsbeginn,mit einer Unterbrechung vom 18.11.1940 bis 14.4.1941, in Heeresdienst.

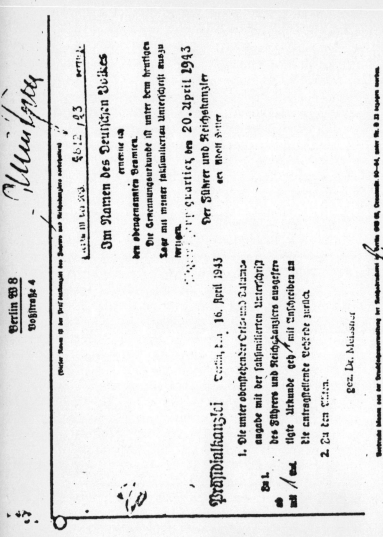

Berlin W 8
Poßstraße 4

(Dieser Raum ist in der Vier Auskunft des Führers und Reichskanzlers vorbehalten)

Akten-Nr. M 101 352   4812 /43   Berlin,

Im Namen des Deutschen Volkes

ernenne ich

den obengenannten Beamten.

Die Ernennungsurkunde ist unter dem heutigen
Tage mit meiner faksimilierten Unterschrift auszu-
fertigen.

Führerhauptquartier, den 20. April 1943

Der Führer und Reichskanzler
gez. Adolf Hitler

Präsidialkanzlei   Berlin, den 16. April 1943

1. Die unter obenstehender Orts- und Datums-
angabe mit der faksimilierten Unterschrift
des Führers und Reichskanzlers ausgefer-
tigte Urkunde geb / mit Anschreiben an
die entragstellende Behörde zurück

2. Zu den Akten.

gez. Dr. Meissner

Zu 1.
a
zu / zu.

Vervielfältigt durch von der Drucklegungsanstalt der Reichskanzlei Berlin SW 68, Druckerei 60-64, unter Nr. B 33 hergestellt worden.

einer Unterbrechung vom 18. November 1940 bis 14. April 1941 – im Heeresdienst«, und tatsächlich war er am 5. April 1943, als der die Angaben enthaltende »Vorschlag zur Ernennung« eingereicht wurde, Leutnant, gerade versetzt zur Flakartillerieschule IV, Lehrgangsgruppe Heer, in Altenstadt bei Schongau in Oberbayern.

Wenige Wochen später, am 14. Mai 1943, wurde durch Geheimbefehl des Chefs der Heeresrüstung und Befehlshabers des Ersatzheeres angeordnet, daß »jetzt bis zu den Bataillonen Offiziere für politisch-weltanschauliche Führung eingesetzt werden« sollten. »Gesichtspunkte für die Auswahl sind: bewährter Frontoffizier, aktivistischer Nationalsozialist . . .« In der Flakartillerieschule IV in Altenstadt wurde, als dieser Befehl dort eintraf, der Leutnant Franz Strauß zum »Offizier für wehrgeistige Führung« ernannt.

»Dieses Nebenamt«, heißt es in autorisierten Strauß-Biographien, so auch in dem 1968 erschienenen Buch von Thomas Dalberg »Franz Josef Strauß. Porträt eines Politikers«, Seite 35, »trug Franz Josef Strauß später den Vorwurf der Ostpropaganda ein, er habe sich in Schongau längere Zeit als NS-Führungsoffizier (NSFO) betätigt . . . Davon konnte aber keine Rede sein. Als die NS-Führungsoffiziere aufkamen, zog sich Franz Strauß vom Glatteis der ›weltanschaulichen Ausrichtung‹ der Truppe zurück. Das Amt des Offiziers für wehrgeistige Führung hatte noch die Möglichkeit geboten, eine vorsichtig dosierte, nach außen hin unverfängliche Aufklärung zu betreiben. Der Titel verpflichtete zu nichts. FJS: ›Dann wurde der NSFO erfunden. Die Abteilung mußte einen geeigneten Offizier melden. Da habe ich dann gestreikt und meinem Kommandeur erklärt: Offizier für wehrgeistige Führung, das habe ich noch gemacht. Aber nun NSFO, das ist mir zu dubios.‹«

So weit die Darstellung, die Strauß selbst 1968 von seinen Funktionen in Altenstadt bei Schongau gegeben hat

– mit viel dichterischer Freiheit, wie man hinzufügen muß. Immerhin gab er damals wenigstens zu, »Offizier für wehrgeistige Führung« gewesen zu sein. Wer dies später von ihm behauptete oder ihn auch nur nach solcher Möglichkeit fragte, wurde zwar nicht verklagt, aber – wie es dem Autor geschah – als »übler Geschichtsfälscher« diffamiert und mit Schmähungen bedacht, die dem Wörterbuch des Unmenschen entnommen sein könnten.* In der Zwischenzeit hat dankenswerterweise das angesehene Münchener Institut für Zeitgeschichte die Frage gründlich untersucht, was es einerseits mit dem »Offizier für wehrgeistige Führung«, andererseits mit dem »NS Führungsoffizier« (NSFO) nun tatsächlich auf sich hatte. Das Ergebnis wurde in den Vierteljahresheften für Zeitgeschichte, 9. Jahrgang, Heft I, Seiten 76 ff veröffentlicht. Danach hieß es in den Richtlinien für die Ernennung des »Offiziers für wehrgeistige Führung«, daß dessen Aufgabe »ausschließlich politisch-weltanschaulich-nationalsozialistisch« zu verstehen sei.

Strauß hingegen ließ schon 1968 diese Aufgabe in ganz anderem Licht erscheinen, fast so, als wäre er damals ein heimlicher Gegner der Nazis gewesen. Dazu sein ehemaliger Kommandeur, Generalmajor Hermann Hiller, in einem Leserbrief an den »Spiegel«, dort abgedruckt 1957 (Nr. 43, Seite 77): »Strauß ist mir dienstlich gut bekannt ... Wenn der Verteidigungsminister jetzt immer seine antinationalsozialistische Haltung herauskehrt, so kann ich nur sagen, daß ich damals nichts davon gemerkt habe. Auch als gegen mich wegen einer offenen Kritik am Dritten Reich im Dezember 1944 ein kriegsgerichtliches Verfahren eingeleitet wurde, hat Strauß sich mir gegenüber

---

* Bei Drucklegung stellte FJS erstmalig Strafantrag gegen einen Redakteur in NRW. Mit seinem »Entlastungsbescheid« einer bayerischen Entnazifizierungsbehörde will er belegen, daß er keine »Nazi-Vergangenheit« habe. FJS war nach 1945 selbst Vorsitzender eines solchen Gremiums.

nicht als ›Widerstandskämpfer‹ zu erkennen gegeben. Andere Offiziere der Flakschule dagegen boten mir seinerzeit Hilfe und Unterstützung an ...«

So steht also Wort gegen Wort, hie Strauß, der zwar »Offizier für wehrgeistige Führung«, nebenbei und »für ein paar Monate«, gewesen sein will, aber kein NSFO (Strauß: »Das war mir zu dubios«), aber schon gar kein Nazi, eher ein heimlicher Gegner, ein Beinahe-Widerständler; da die schriftliche Äußerung seines Kommandeurs, eines von der Gestapo verhafteten Generals, der nichts von einer kritischen Einstellung des Oberleutnants Strauß gemerkt hat, auch keinen Funken von Sympathie, als er sie brauchte.

Halten wir uns jedoch an die Dokumente und die nachweisbaren Tatsachen, so wird klar, daß die Darstellung, die Strauß seinen autorisierten Biographen von seiner damaligen Funktion als »Offizier für wehrgeistige Führung« gegeben hat, nicht der Wahrheit entsprechen kann.

Strauß will erst im Laufe des Jahres 1944 »für ein paar Monate« »Offizier für wehrgeistige Führung« geworden sein, doch da gab es diese Einrichtung gar nicht mehr! Bereits mit »Führer«-Befehl vom 22. Dezember 1943 wurde die Funktion des NSFO geschaffen, und unter den Voraussetzungen, die dieser zu erfüllen hatte, stand »bedingungsloser Nationalsozialist« zu sein nun an erster Stelle.

Doch selbst wenn man zugunsten von Strauß annimmt, daß es ein paar Wochen gedauert haben mag, bis der »Führer«-Befehl auch die Flakschule in Altenstadt bei Schongau erreicht hatte, so ändert das nichts Wesentliches. Auch der »Offizier für wehrgeistige Führung« war bereits so etwas wie ein politischer Kommissar, ähnlich dem »Politruk« der Roten Armee. Die Richtlinien wiesen zwar ausdrücklich darauf hin, daß bei der Truppe der Eindruck, es handele sich um einen solchen Kommissar,

Franz Josef Strauß vor dem Flick-Untersuchungsausschuß am 15. November 1984. Die dpa-Meldung des Tages lautete: »Strauß bestätigt die Annahme von Spenden des Flick-Konzerns.«

»unbedingt vermieden werden« müsse. Gerade dieser Hinweis zeigt ja, wie es tatsächlich um die Aufgaben des »Offiziers für wehrgeistige Führung« stand.

Die Kandidaten sollten »bedingungslose, kämpferische, fanatische Nationalsozialisten« sein. »Erfahrungen und praktische Fähigkeiten in der politisch-weltanschaulichen Führung« waren erwünscht. Weil sich die meisten Berufsoffiziere der Wehrmacht für die Aufgabe nicht eigneten, wählten die Nazis als »Offiziere für wehrgeistige Führung« oder NSFO solche Reserveoffiziere aus, die als überzeugte Nazis bekannt waren und, wie Strauß, in der Partei, der SA oder dem NSKK mit »weltanschaulicher Schulung« befaßt gewesen waren, womöglich einer »Elite«-Organisation wie dem NSDStB angehört hatten.

Das hatte Dr. Hanns Martin Schleyer wohl gemeint, als er Strauß als »zu angreifbar« als Kandidat für das Kanzleramt bezeichnet hatte, und vielleicht war ihm dabei in Erinnerung gewesen, wie häufig der CSU-Politiker Strauß nach dem Kriege lauthals gefordert hatte, beispielsweise 1961 in Weilheim: »Jeder, der sich um das höchste Amt bewirbt, muß seine politische Vergangenheit lückenlos aufzeigen können!«, und wie oft von Strauß politischen Gegnern öffentlich die Frage gestellt worden war: »Was haben Sie denn in den zwölf Jahren (der Nazidiktatur) gemacht?«

Wenn aber Dr. Schleyer, selbst ehemaliger SS-Offizier, als Vertrauensmann der Flick-Gruppe und »Boß der Bosse«, wie er als Präsident der Arbeitgeberverbände häufig genannt wurde, nicht auf Franz Josef Strauß als möglichen Kanzlernachfolger setzte, wen mochten er und seine Freunde dann im Auge haben?

Der Autor stellte ihm im Verlauf des Gesprächs unter vier Augen diese Frage, und überraschenderweise antwortete Dr. Schleyer, ohne zu zögern:

»Wir setzen auf das Tandem Kohl/Biedenkopf.«

Professor Kurt Biedenkopf, der 1973 zur allgemeinen Überraschung Generalsekretär des CDU-Bundesvorstands geworden war, galt als »Vordenker« der Union. Im übrigen war er für die bundesdeutsche Öffentlichkeit im Wahljahr 1976 noch ein unbeschriebenes Blatt. Wer sich über den Professor, der bislang kein Bundestagsmandat hatte, näher informieren wollte, fand im »Wer ist wer?« folgenden, auf eigenen Angaben des Professors beruhenden Eintrag:

»BIEDENKOPF, Kurt H., Dr. jur. (habil.), LL. M., Professor, geboren am 28. Januar 1930 in Ludwigshafen/Rh. (Vater: Wilhelm Biedenkopf), verheiratet mit Sabine geb. Wäntig, 4 Kinder. – 1963–71 Lehrtätigkeit an der Universität Frankfurt/Main (Privatdozent) und Bochum (Ordinarius seit 1964; von 1967–69 Rektor). 1968ff. Vorsitzender der Mitbestimmungskommission der Bundesregierung: 1971ff. Vorstandsmitglied der C. Rudolf Poensgen-Stiftung; 1972ff. Vorsitzender des Landeskuratoriums des Stifterverbands für die deutsche Wissenschaft (Neugründung); seit 1973 Generalsekretär des CDU-Bundesvorstands. – Buchveröffentlichungen: Aktuelle Grundsatzfragen des Kartellrechts, 1957 (mit Callmann und Deringer); Vertragliche Wettbewerbsbeschränkungen und Wirtschaft, 1958; Unternehmer und Gewerkschaften im Recht der USA, 1961; Grenzen der Tarifautonomie, 1964; Thesen der Energiepolitik, 1967; Mitbestimmung, Beitrag zur ordnungspolitischen Diskussion, 1972; Fortschritt in Freiheit, Umrisse einer politischen Strategie, 1974.«

Diese Angaben waren nicht sehr aufschlußreich. Zunächst ließen sie vermuten, daß es sich bei Professor Biedenkopf um einen stillen Gelehrten handelte, der im In- und Ausland fleißig studiert hatte, um dann eine steile Universitätskarriere einzuschlagen. In rascher Folge war er Privatdozent, Ordinarius und sogar Rektor der Bochumer Ruhruniversität geworden, daneben mit zahlreichen Buchveröffentlichungen hervorgetreten und in Stifterverbänden aktiv gewesen. Aber dann hatte ihn plötzlich die Politik in Beschlag genommen, und er war, sozusagen aus dem Stand, CDU-Generalsekretär geworden ...

Noch ein weiterer Umstand gab dem Leser der Kurzbiographie Rätsel auf, denn es fehlte darin selbst der kleinste Hinweis auf Herkunft, Schulzeit, Beruf des Vaters und dergleichen. Man konnte vermuten, daß da vielleicht ein schlichtes Proletarierkind aus Bescheidenheit oder falscher Scham seinen raschen Aufstieg ein wenig zu verschleiern trachtete.

Indessen war Professor Dr. Kurt H. Biedenkopf beileibe kein sozialer Aufsteiger, vielmehr der Sohn des Dipl. Ing. Wilhelm Biedenkopf aus Chemnitz, Jahrgang 1900, der bis zu seiner Pensionierung ordentliches Vorstandsmitglied einer Perle unter den zur Flick-Gruppe gehörenden Unternehmen, nämlich der »Dynamit-Nobel AG« in Troisdorf, gewesen war, zuvor technischer Direktor, vielfacher Aufsichts- und Beirat, während des Zweiten Weltkriegs auch ein – vom »Führer« besonders belobigter und belohnter – »Wehrwirtschaftsführer«. Ganz zufälligerweise war Vater Wilhelm Biedenkopf zuletzt auch Mitglied des Beirats jenes Unternehmens in Bergisch-Gladbach, das wesentlich zu den Gewinnen des »Pegulan«-Konzerns beigetragen hatte und an dem Frau Marianne Strauß, die Gattin des CSU-Chefs, von Konsul Dr. Ries hochherzigerweise mit zuletzt etwa 16 Prozent beteiligt worden war.

Ein weiterer Zufall: Sohn Kurt, der spätere CDU-Generalsekretär, war während eines beruflich bedingten Aufenthalts seines Vaters, als die BASF dessen Dienste in Anspruch genommen hatte, anno 1930 in Ludwigshafen/Rh. zur Welt gekommen, genau wie Helmut Kohl, und mit diesem hatte er auch gemeinsam die Volksschule besucht.

Dann aber hatten sich ihrer beide Wege getrennt: Der aus unbemittelter Beamtenfamilie stammende Helmut Kohl mußte sich, wie wir bereits wissen, recht mühsam nach oben hangeln, und dabei spielte sein Förderer Konsul Dr. Ries eine wichtige Rolle; Kurt Biedenkopf hingegen hatte in den USA politische Wissenschaften, in München und Frankfurt Jura und Volkswirtschaft studiert, zum Doktor der Rechte und zum Master of Law promoviert, sich mit einer Arbeit über »Die Grenzen der Tarifautonomie« habilitiert (und damit zugleich die Aufmerksamkeit der Konzernherren und des Arbeitgeberverbands erregt) und war 1967 jüngster Rektor der Bundesrepublik in Bochum geworden. In den folgenden Jahren hatte sich Professor Kurt Biedenkopf gesellschafts- und wirtschaftspolitisch zu profilieren begonnen. »In seinem Bekenntnis zu einer funktionsfähigen Marktwirtschaft mit Wettbewerb und Privateigentum«, schrieb damals »Der Spiegel« über ihn, »läßt er sich von niemandem überbieten.«

Weithin bekannt geworden war der Professor aber erst 1968, als ihn Bundeskanzler Kiesinger mit der Leitung einer Kommission beauftragte, die für die Bundesregierung die Frage der betrieblichen Mitbestimmung der Arbeitnehmer untersuchen sollte. Diese »Biedenkopf-Kommission«, wie sie dann genannt wurde, rang sich zwar zu einer Würdigung der gut funktionierenden paritätischen Mitbestimmung in der Montanindustrie durch, entschied sich aber gegen die Ausdehnung dieses Modells auf die gesamte Wirtschaft, wie es Gewerkschaften und CDU-Sozialausschüsse gefordert, die Unternehmer jedoch als »ruinös für die Wirtschaft« abgelehnt hatten. »Seither gilt Biedenkopf«, so damals »Der Spiegel«, »den Gewerkschaften, aber auch den parteieigenen CDU-Sozialausschüssen als überzeugter Unternehmerfreund, der jede Demokratisierung der Wirtschaft zu bekämpfen suche.« Umgekehrt fand nun einer der größten bundesdeutschen Konzerne, die Henkel-Gruppe, daß dieser so unternehmerfreundliche Professor genau der richtige Mann für sein Topmanagement sei. Anfang 1971 konnte Biedenkopf seine akademische Laufbahn beenden und Geschäftsführer der Henkel GmbH werden. Von diesem Kommandoposten des nicht nur im Waschmittelbereich führenden Chemie-Riesen, dessen Eigentümer als Groß-aktionäre des DEGUSSA-Konzerns und der NUKEM-Reaktorbau-Holding* beträchtlichen Einfluß auf die Wirtschaft und die Politik der Bundesrepublik ausüben, ließ sich Professor Biedenkopf zweieinhalb Jahre später weglocken und übernahm den Posten des Generalsekre-tärs der in die Opposition verbannten CDU.

Nachdem er mit erst 43 Jahren bereits in zwei Lauf-bahnen den jeweils höchsten Rang erreicht hatte – als Akademiker den des Rektors einer großen Universität, als Konzernmanager den des Leiters eines Chemie- und Atom-Multis –, wollte er offenbar nun eine Spitzenstel-lung in der Politik erobern.

Niemand, vermutlich nicht einmal Kurt Biedenkopf selbst, wird mit Bestimmtheit sagen können, wer oder was den Professor dazu bewogen hat, sich von der siche-ren Kommandobrücke des Henkel-Konzerns in die Wo-gen der Politik zu stürzen. Verbürgt ist jedoch, daß Kon-sul Dr. Fritz Ries dem Wunsch seiner Gäste auf Schloß Pichlarn und insbesondere dem seines alten Freundes Hanns Martin Schleyer, doch einen »Intelligenzbolzen«

---

* Die NUKEM GmbH in Hanau gehört zu 35 Prozent der DEGUSSA, deren Großaktionär die Familie Henkel (»Persil« usw.) ist. Die NUKEM GmbH ist ihrerseits mit 40 Prozent des Kapitals an der ALKEM GmbH, Hanau, beteiligt. Der Geschäftsführer dieser Brennelementefabrik, Dr. Alexander Warrikoff, der gleichzeitig CDU-Bundestagsabgeordneter ist, sowie vier weitere ALKEM-Manager, wurden im Sommer 1986 von der Staatsanwaltschaft beschuldigt, »wesentliche technische Änderungen im Produktions-ablauf ohne atomrechtliche Genehmigungsverfahren vorgenommen und damit die Sicherheit der Anlage verringert zu haben«.

Kurt Biedenkopf, noch vor kurzem auf dem Abstellgleis der Unionsparteien, jetzt wieder »ganz oben«.

zu finden, der bereit und imstande wäre, Helmut Kohls deutliche Mängel auszugleichen, sowie beide auf ihre gemeinsame künftige Rolle »einzustimmen«, mit Eifer und Geschick nachgekommen ist.

Vom Herbst 1972 an organisierte Dr. Ries auf seiner steiermärkischen Besitzung sogenannte »Pichlarner Topmanager-Gipfeltreffen«, die sich bald großer Beliebtheit erfreuten. Denn die zur Ries-Besitzung gehörende Prominentenherberge »Schloßhotel Pichlarn« eignete sich vorzüglich dazu, das Angenehme mit dem Nützlichen zu verbinden.

Nützlich waren die Bekanntschaften, die man dort machen konnte, denn zu den Pichlarner Gästen gehörten Politiker, Industriekapitäne, Bankiers, Prälaten und Militärs, nicht nur aus Österreich und der Bundesrepublik Deutschland, sondern auch aus deren europäischen Nachbarländern; nützlich waren auch die Vorträge, die man dort hören konnte, und die anschließenden Diskussionen, und nützlich war schließlich auch die Möglichkeit, die Pichlarn bot, sich im Fitness-Zentrum, in der Schwimmhalle, beim Golfspiel, zu Pferde oder im Jagdrevier vom Streß des Alltags zu erholen und die überflüssigen Pfunde wegzutrimmen. Angenehm waren die schöne Umgebung, die gepflegte Gastronomie und nicht zuletzt die reizende Betreuung, teils durch attraktive Hostessen, teils durch die nicht minder liebenswürdigen Töchter des Hauses.

Kein Wunder also, daß auch Professor Kurt Biedenkopf gern der Einladung folgte, an solchen »Pichlarner Topmanager-Gipfeltreffen« teilzunehmen, dort auch Vorträge zu halten, für die dort tagende österreichische »Akademie für Führungskräfte« Seminare zu leiten oder vor einem anderen erlesenen Kreis über das Thema »Führung international – interdisziplinär« zu dozieren.

Da Herr Professor Dr. Kurt H. Biedenkopf – wie man der steiermärkischen »Süd-Ost-Tagespost« damals entnehmen konnte – der mit Abstand »prominenteste ausländische Teilnehmer und Vortragende« dieser Veranstaltungen war, ist es leicht begreiflich, daß ihm die ganz besondere Fürsorge des Schloßherrn Dr. Ries und seiner bei diesen Treffen stets anwesenden Tochter Ingrid Kuhbier galt. Beide ließen es sich nicht nehmen, Professor Biedenkopf nicht nur als bloßen Dozenten, prominenten Teilnehmer der »Gipfeltreffen« und Hotelgast zu behandeln, sondern vielmehr als einen engen Freund der Familie.

In der Folgezeit – Kurt Biedenkopf war nun schon Generalsekretär der CDU geworden – vertieften sich diese Beziehungen noch. Man besuchte sich häufiger, man telefonierte viel miteinander, und für die Zeit nach der Bundestagswahl 1976 wurden in Pichlarn, Frankenthal und Bonn gewisse Überraschungen erwartet, die des rührigen Konsuls Ansehen und Einflußmöglichkeiten weiter vermehren würden.

Es dauerte jedoch bis 1980, die Wahlen des Herbstes 1976 brachten der von Helmut Kohl als Kanzlerkandidat, von Kurt Biedenkopf als CDU-Generalsekretär geführten Union nicht den erhofften Wahlsieg, und sowohl Konsul Dr. Ries als auch Hanns Martin Schleyer weilten schon nicht mehr unter den Lebenden, bis die Beziehungen Biedenkopfs zur Ries-Tochter Ingrid, nunmehr geschiedener Kuhbier, auch standesamtlich beurkundet wurden. Professor Biedenkopf, inzwischen ebenfalls geschieden von seiner Ehefrau Monika, die ihm vier Kinder geboren hatte, heiratete also die mit ihm schon so lange befreundete Ries-Tochter (und Mitgesellschafterin von Frau Marianne Strauß bei der »Dyna-Plastik« und anderen »Pegulan«-Konzerntöchtern). In neuen Ausgaben des Prominenten-Lexikons »Wer ist wer?« verschwieg Kurt Biedenkopf allerdings (und verschweigt noch immer), daß seine zweite Ehefrau ebenfalls geschieden und eine Tochter des verstorbenen Konsuls Dr. Ries ist.

Dort lautet der auf eigenen Angaben beruhende Eintrag: ». . . verheiratet in 2. Ehe mit Ingrid geborener Kuhbier . . .«, wo es doch richtig heißen müßte: ». . . mit Ingrid geb. Ries gesch. Kuhbier . . .« Ob er sich nun seiner neuen familiären Beziehungen zu dem toten Industriellen schämte, der einen bedeutenden Teil seines Vermögens der Ausbeutung von Zwangsarbeitern in und um Auschwitz und Lodz zu verdanken hatte, oder ob es ihm für einen prominenten Christdemokraten unschicklich erschien, allzu viele Scheidungen bekannt werden zu lassen, bleibt Kurt Biedenkopfs Geheimnis.

Nach Auskunft des Testamentsvollstreckers des 1977 verstorbenen Konsuls Dr. Fritz Ries sind weder Frau Ingrid Biedenkopf geborene Ries oder deren Geschwister noch die Erben der tödlich verunglückten Frau Marianne Strauß am »Pegulan«-Konzern oder dessen Tochterfirmen beteiligt; die »Pegulan AG« gehört heute mehrheitlich der bundesdeutschen Holdinggesellschaft der British American Tobacco Co (BAT). Besagter Testamentsvollstrecker ist übrigens der Münchener Fachanwalt für Steuerrecht, CSU-Bundestagsabgeordnete (seit 1969, ohne eigenen Wahlkreis, aber mit stets sicherem Listenplatz), Mitglied des CSU-Parteivorstands und -Präsidiums, ebenfalls Vorstandsmitglied des CSU-Wirtschaftsbeirats und etlicher anderer wichtiger Gremien, Professor Dr. Reinhold Kreile, der bis zum kürzlichen Verkauf des bundesdeutschen Flick-Imperiums auch der Aufsichtsratsvorsitzende der Konzern-Holdinggesellschaft, der »Friedrich Flick Industrieverwaltung Kommanditgesellschaft auf Aktien« in Düsseldorf, war.

So schließt sich gewissermaßen der Kreis:

Es war der Personalchef der Daimler-Benz AG (damaliger Hauptaktionär: Flick), zugleich BDI- und BDA-Präsident, Dr. Hanns Martin Schleyer, der seinen alten Freund und Bundesbruder, Konsul Dr. Fritz Ries, 1972, nach den vergeblichen Versuchen, Willy Brandt durch ein konstruktives Mißtrauensvotum zu stürzen, in die Pläne einweihte, wie der zweite Versuch einer »Wende« gestartet werden sollte:

Der glücklose Barzel mußte Kanzlerkandidatur und CDU-Parteivorsitz aufgeben, bekam zum Trost viel Geld, größtenteils von Flick, dazu das Großkreuz des Verdienstordens der Bundesrepublik (später auch noch einen Ministersessel und sogar das Amt des Bundestagspräsidenten – bis die Flick-Zahlungen ruchbar wurden und er zurücktreten mußte); statt Rainer Barzel sollte Helmut Kohl antreten, aber nicht allein. Konsul Dr. Ries, Kohls »Entdecker« und langjähriger Förderer, sollte mithelfen, Kurt Biedenkopf und Helmut Kohl dafür zu gewinnen und darauf »einzustimmen«, gemeinsam, als »Tandem«, die Fahrt ins Kanzleramt anzutreten. Dabei war dem »Schwarzen Riesen« Kohl, von dessen Planungs- und Lenkfähigkeiten auch die Herren des Großen Geldes nicht so recht überzeugt waren, die Rolle des sich abstrampelnden und dabei immer fröhlich lächelnden Lieferanten der Antriebskraft zugedacht, hingegen dem unternehmerfreundlichen und konzernverbundenen »Intelligenzbolzen« Biedenkopf die Rolle des Strategen und Steuermanns.

Das »Tandem«-Team verfehlte aber 1976 das Wahlziel und zerstritt sich auf der Oppositionsbank bei gegenseitigen Schuldzuweisungen. Die Erfinder und Bastler des »Tandems«, Ries und Schleyer, starben 1977. Den Nachlaß des Kohl-»Entdeckers«, Marianne Strauß-Partners und Biedenkopf-Schwiegervaters in spe aber regelte dann wieder der Ranghöchste im Flick-Aufsichtsrat – was die Frage aufwirft, ob es hierzulande überhaupt irgend etwas in Politik und Wirtschaft Bedeutsames gegeben hat oder gibt, auf das das Haus Flick nicht auf die eine oder andere Weise Einfluß genommen hat.

Flick – Musterbeispiel für den Mißbrauch wirtschaftlicher Macht

Alle wirtschaftlich Mächtigen sind bemüht, darauf hinzuwirken, daß die politischen Entscheidungen ihnen nützen und nicht schaden, ihren Profit mehren und nicht mindern, ihre Macht erhalten und stärken, sie nicht einschränken oder gar beseitigen. In diesem Sinne versuchen sie, auf die politischen Entscheidungsprozesse Einfluß zu nehmen, sei es mit Argumenten, die sie einbringen, sei es mit Hilfe der von ihnen beherrschten oder beeinflußbaren Medien oder durch das ihnen vertrauteste Mittel: den gezielten Einsatz ihres Geldes, mit dem sie die an den Entscheidungsprozessen beteiligten Politiker, Experten und Beamten sowie Parteien finanziell unterstützen und in Abhängigkeit zu bringen trachten. Die Grenzen zwischen legitimer Interessenwahrung und mißbräuchlicher Ausübung wirtschaftlicher Macht sind fließend, wobei die moralische Beurteilung, was noch statthaft ist und was nicht, in der Regel strenger ausfallen wird als die juristische, die an die Gesetze gebunden ist, die ihrerseits ja von Volksvertretern formuliert und beschlossen werden, die den Einflüssen der wirtschaftlich Mächtigen ausgesetzt sind.

Dies vorausgeschickt, wollen wir uns nun mit dem wirtschaftlich Mächtigen beschäftigen, der sechs Jahrzehnte lang Einfluß auf die deutsche Politik genommen hat, in der Politik stets nur ein Mittel zur Erhaltung der gesellschaftlichen Machtverhältnisse und zur Vergrößerung des eigenen Profits gesehen hat und der noch heute, über seinen Tod hinaus, die bundesdeutsche Politik in erheblichem Maße beeinflußt: Friedrich Flick.

Der vor mehr als hundert Jahren, 1883, in Ernsdorf bei Siegen geborene Holzhändlersohn begann seine Laufbahn 1906 als junger Diplomkaufmann und nunmehriger Prokurist der Bremer Hütte in Geisweid, einem mittleren Unternehmen des Siegerlands, wo er zuvor seine kaufmännische Lehre absolviert hatte. 1913 wechselte er zur »Eisenindustrie zu Menden und Schwerte« über, wo er, gerade 30 Jahre alt, Direktor und Mitglied des Vorstands wurde. 1915, im zweiten Jahr des Ersten Weltkriegs, wechselte der zwar wehrpflichtige und kerngesunde, aber als »unabkömmlich« vom Militärdienst freigestellte Direktor Flick abermals die Firma: Er trat in den Vorstand der Charlottenhütte in Niederschelden ein und wurde 1917 Generaldirektor dieses Unternehmens. Mit eigenen Ersparnissen, der Mitgift seiner Frau, einer Siegener Ratsherrntochter, sowie mit Bankkrediten erwarb er nach und nach Aktien der Charlottenhütte, insgesamt zwar weniger als ein Viertel, doch genug, um damit das Unternehmen völlig zu beherrschen, weil alle übrigen Aktien in Streubesitz waren. Die Charlottenhütte verdiente kräftig am Krieg, benutzte die Gewinne zu Ankäufen kleinerer Unternehmen, zu Modernisierungen und umfangreichen Rationalisierungsmaßnahmen, sparte Steuern durch Zeichnung von insgesamt 17 Millionen Mark Kriegsanleihe und legte sich gewaltige Schrottreserven zu, denn Schrott war im Krieg spottbillig zu haben. Daneben erwarb sich der junge, sehr energische, 1,80 Meter lange Generaldirektor Flick, der im Gegensatz zu den meisten Angehörigen seiner Generation, die auf den Schlachtfeldern verblutete, keinen Tag Kriegsdienst abzuleisten brauchte, den Ruf, ein eiskalter Rechner zu sein mit einem »guten Riecher« für günstige Gelegenheiten, viel Geld zu verdienen.

Gerade noch rechtzeitig, genau zwei Tage vor Waffenstillstand, stieß Flick die gesamte von der Charlottenhütte gezeichnete Kriegsanleihe, die dann wertlos wurde, zu noch günstigem Kurs ab und kaufte mit dem gesamten Erlös Aktien oberschlesischer Zechen. Auch gehörten ihm 1918 bereits 51 Prozent der Anteile der Charlottenhütte. Er konnte also mit dem Verlauf des Ersten Weltkriegs und seinem für Deutschland so katastrophalen Ausgang persönlich sehr zufrieden sein.

In den folgenden Jahren der totalen Geldentwertung setzte er jede Mark, die er einnahm oder sich von den Banken noch borgen konnte, sofort in Sachwerte um, tilgte wenig später seine Schulden mit wertlosem Bargeld, rückte aber die kostbaren, heißbegehrten und staatlich subventionierten Erzeugnisse seiner Betriebe nur noch heraus, wenn ihm dafür Wertbeständiges geboten wurde: harte Devisen, Rohstoffe oder Aktien. 1924, als die deutsche Inflation endete, war Friedrich Flick 41 Jahre alt und ein Industriemagnat mit etlichen hundert Millionen Mark neuer, stabiler Währung und weitgestreutem Konzernbesitz.

1925/26 geriet die deutsche Stahlindustrie in eine Absatzkrise und mußte sich in Notgemeinschaften zusammenschließen. Der wichtigste Zusammenschluß war die »Vereinigte Stahlwerke AG«, kurz »Stahlverein« genannt, zu dem sich Thyssen, Rheinstahl, Phoenix und auch Flick zusammenschlossen. Flick behielt die von ihm mehrheitlich beherrschte Charlottenhütte AG als reine Holdinggesellschaft, und er bekam für die Einbringung aller Charlottenhütte-Betriebe in den »Stahlverein« 20 Prozent von dessen Aktien. Damit gehörte seiner Charlottenhütte AG genau ein Fünftel des neuen Konzerns, der seinerseits fast die Hälfte der gesamten Stahlerzeugung und rund ein Drittel der Kohleförderung des Deutschen Reichs beherrschte.

Das war schon erstaunlich genug, aber noch viel erstaunlicher war, was folgte: Knapp vier Jahre später, mitten in der großen Weltwirtschaftskrise, als schon mehr als drei Millionen Deutsche arbeitslos waren, gehörte Flick plötzlich die Mehrheit des »Stahlverein«-Kapitals, ohne daß er noch einen Pfennig zusätzlich investiert hätte! Der Trick, den er angewandt hatte, war im Grunde ganz simpel:

Die »Stahlverein«-Aktienmehrheit, genau 51 Prozent, war im Besitz der Gelsenkirchener Bergwerks-AG (»Gelsenberg«) gewesen. Wer »Gelsenberg« beherrschte, beherrschte damit auch den »Stahlverein«. Also ließ Flick die »Stahlverein«-Aktien seiner Charlottenhütte still und leise verkaufen und mit dem Erlös ebenso heimlich »Gelsenberg«-Anteile erwerben. Das reichte vollauf, der Charlottenhütte, also ihm selbst, die Kontrolle über »Gelsenberg« und damit über den ganzen »Stahlverein« zu verschaffen, und auf diese Weise hatte er eine beherrschende Stellung in der Montanindustrie und damit im gesamten Wirtschaftsleben des Reiches errungen.

Das war aber erst ein Zwischenziel seines Plans. Der große Coup stand noch aus, der Flick in diesen Jahren tiefsten Elends und steigender Arbeitslosigkeit zum reichsten Mann Deutschlands machen sollte: Im November 1931 tauchte an den deutschen Börsen das Gerücht auf, Frankreich wolle sich die deutsche Not zunutze machen und mit einem Schlag die Kontrolle über die deutsche Industrie erobern: Der Crédit Lyonnais, die wichtigste Bank Frankreichs, wolle den Tiefstand der Kurse ausnutzen und die »Gelsenberg«-Mehrheit kaufen. »Gelsenberg« war zum Kurs von nur 20 Prozent zu haben; die Franzosen sollten schon 100 Prozent geboten haben, um das Herzstück der Ruhrindustrie in ihre Hand zu bekommen.

Diese Gerüchte, an denen kein wahres Wort war, verursachten große Aufregung. Die Presse, von Flick kräftig ermuntert, forderte einhellig ein sofortiges Eingreifen der Reichsregierung, die eilig zu einer Sondersitzung zusammentrat und erwartungsgemäß beschloß, den Ausverkauf des Ruhrgebiets um jeden Preis zu verhindern.

Zwar waren die Reichskassen leer, Renten, Beamten-
gehälter und Unterstützungssätze waren schon drastisch
gekürzt worden, und die Regierung wußte nicht, wie sie
auf dem Höhepunkt der Krise ihre dringendsten Ver-
pflichtungen noch erfüllen sollte. Aber dennoch – darin
war sich das Kabinett mit der Reichswehr-Generalität
einig –, die Ruhrindustrie durfte nicht den Franzosen
ausgeliefert werden! Also verhandelte der Reichsfinanz-
minister Dr. Dietrich, ein liberaler Demokrat, mit Herrn
Flick, und am Ende kaufte das arme Reich die »Gelsenberg«-Aktienmehrheit zum Vierfachen des Börsenkurses (aber immer noch unter dem Preis, den die Franzosen
angeblich geboten hatten). Denn Flick wollte als guter
Patriot erscheinen. Außerdem spendete er dem Finanzminister Dietrich und dem Kanzler Heinrich Brüning
(katholisches Zentrum) zusammen rund eine Million
Reichsmark – nach heutigem Wert etwa 20 bis 30 Millionen DM – für deren Wahlfonds.

Dazu ist etwas Grundsätzliches anzumerken, das noch
heute gilt: Wenn ein Geldgigant einem Politiker gewaltige Summen »für Wahlkampfzwecke« spendet, dann ist
es – so auch die Absicht des Spenders – dem Empfänger
überlassen, was er mit dem vielen Geld macht: Er kann
alles seiner Partei zukommen lassen, sich damit beliebt
und unentbehrlich machen, hunderttausend bunte
Wahlplakate drucken und kleben lassen, Säle mieten,
Handgelder an Wahlkampfhelfer verteilen – doch er kann
auch die Summe für sich behalten, sie ausschließlich zur
Verbesserung seiner eigenen Lebensqualität verwenden
und sein Gewissen – falls er dergleichen hat – damit beruhigen, daß alles, was ihm, dem Spitzenkandidaten,
zugute kommt, letztlich auch Wahlkampfzwecken dient.
Es empfiehlt sich in solchen Fällen, von, sagen wir:
900 000 erhaltenen Mark 100 000 Mark dem Partei-
Schatzmeister zu überreichen, mit der Erklärung, dies
sei eine Abschlagszahlung auf eine zu erwartende noch

größere Summe. Später, wenn nach beendetem Wahl-kampf die Parteikassen leer sind, kann der Spendenemp-fänger dem Schatzmeister noch einmal einen ganz in sein Ermessen gestellten weiteren Betrag zukommen lassen und ihm raten, den genauen Gesamtbetrag zu vergessen und sich nur zu merken, daß es sich um eine sechsstellige Summe gehandelt habe, die ihm der Spitzenpolitiker von einem edlen Spender »beschafft« habe. Das eröffnet dem Schatzmeister ebenfalls Möglichkeiten, seine Zweifel und sein eventuell vorhandenes Gewissen zu beruhigen. Alles, was der Spender der ursprünglichen Summe für sein Geld erwartet, ist die Erfüllung seiner Wünsche.

Im Falle der Transaktion des Jahres 1931 bekam Fried-rich Flick fast alles, was er hatte haben wollen: das etwa Vierfache dessen, was sein Aktienpaket damals wert war, und zunächst auch den Ruhm, »patriotisch« gehandelt zu haben, schien es doch so, als hätte er auf einen mög-lichen Mehrerlös verzichtet. Dieser Ruhm schmolz jedoch dahin, als nachträglich klar wurde, daß es ein höheres Angebot der Franzosen gar nicht gegeben hatte, nicht einmal eine Absicht, »das Herz der Ruhr« zu kau-fen. »Die einzig mögliche Antwort«, schrieb empört ein damals führender deutscher Wirtschaftsjournalist, »wäre gewesen, daß die Reichsregierung den Schachtelkonzern Charlottenhütte-Gelsenberg-Vereinigte Stahlwerke um-gehend verstaatlicht hätte. Flick und die anderen Aktio-näre hätten allenfalls eine langfristige Abfindung durch Staatsobligationen auf der Basis des Börsenkurses erhal-ten können ... Darüber hinaus hätte der vorliegende Tat-bestand Anlaß genug geboten, Herrn Flick als Schädiger der Interessen des Deutschen Reiches zu enteignen ...«
(Dieser Artikel stammte von dem jungen linkskonserva-tiven Professor Friedrich Zimmermann, der schon da-mals das Pseudonym »Ferdinand Fried« benutzte, unter dem er später als wirtschaftspolitischer Leitartikler der Springer-Presse vor allem in der »Welt« für die freie

Marktwirtschaft stritt. Obwohl es noch manchen Anlaß dazu gegeben hätte, forderte er nie wieder die Enteignung Flicks.)

Bei Friedrich Flick trat, nachdem er 1931/32 die Staatskasse um knapp 100 Millionen RM ärmer gemacht hatte, insofern ein gewisser Wandel ein, als er sich nun vom erfolgreichen Börsenjobber zum Industriemagnaten und Wirtschaftsführer mauserte. Mit äußerst geschickten Transaktionen, deren Schilderung Bände füllen würde, wurde er mit den ihm verbliebenen Unternehmensgruppen »Mittelstahl« und »Maxhütte« der drittgrößte Stahlerzeuger des Deutschen Reichs (nach dem »Stahlverein« und Krupp). Er hatte nun auch eine eigene Steinkohle- und Koksbasis im Ruhrgebiet, die Harpener Bergbau AG, und sein Konzern beschäftigte insgesamt fast hunderttausend Arbeiter und Angestellte.

Zur Sicherung seiner wirtschaftlichen Macht trat er nun – inzwischen waren die Nazis an der Regierung – dem exklusiven »Freundeskreis des Reichsführers SS« bei, pflegte dort Beziehungen zur SS-Prominenz, besichtigte zusammen mit anderen Konzernbossen Ordensburgen und Konzentrationslager und überwies alljährlich dem immer mächtiger werdenden »Reichsführer SS« Heinrich Himmler sechsstellige Beträge für dessen private Liebhabereien.

Es war ein bescheidener Dank für die vielen Vorteile, die die Nazis den großen Bossen der Wirtschaft verschafften: die Zerschlagung der Gewerkschaften und der Arbeiterparteien, das Verbot von Streiks, die Beseitigung der Tarifautonomie, die Festsetzung niedriger Löhne, die Einführung des »Führerprinzips« in der Wirtschaft, wo es nur noch Befehl und Gehorsam gab, die Steuererleichterungen und Subventionen zur Förderung der heimischen Industrie und die geradezu stürmische Nachfrage, vor allem nach Stahl, infolge der von den Nazis betriebenen Aufrüstung. Flick konnte sich von 1938 an auch an der »Arisierung« jüdischer Unternehmen beteiligen, erwarb so spottbillig die »Hochofenwerke Lübeck AG« von deren Hauptaktionär, der Familie Hahn, und verschaffte sich auch die Mehrheit bei der Berliner Erzhandlung Rawack & Grünfeld AG. Aus dem Besitz des tschechischen Petschek-Konzerns brachte Flick die Anhaltischen Kohlenwerke sowie Braunkohlengruben in der Niederlausitz an sich und konnte so die letzte Lücke in der eigenen Brennstoffversorgung seiner Hüttenwerke schließen. Göring, der Flick bei diesem Raubzug sehr behilflich gewesen war, lobte Friedrich Flick, sehr zu dessen Leidwesen, noch im Nürnberger Kriegsverbrecherprozeß als »absolut vertrauenswürdig« und »sehr großzügig«.

Insgesamt spendete Friedrich Flick an Göring, Himmler und andere oberste Nazi-Größen rund 7,5 Millionen RM. Dafür bekam er von den braunen Machthabern so viele »Arisierungs«möglichkeiten, wie er wollte, ferner für seine Zechen und Hütten Zigtausende von Arbeitssklaven aus den Konzentrationslagern. Kurz vor Kriegsende gebot Flick über das größte private Industrie-Imperium im Großdeutschen Reich. »Niemand«, lobte damals die NS-Wochenzeitung »Das Reich«, »hat die Ernennung zum Wehrwirtschaftsführer mehr verdient als Friedrich Flick.«

Allerdings traf Flick, spätestens von 1943 an, bereits Vorkehrungen für den Fall einer deutschen Niederlage. Seit dem Frühjahr 1943 kannte Flick von seinem eigenen Nachrichtendienst die Pläne der Alliierten über die Aufteilung des besiegten Deutschen Reiches in Besatzungszonen. Etwa 16 Monate vor der bedingungslosen Kapitulation begann der Flick-Konzern mit der heimlichen »Verlagerung« besonders wichtiger und wertvoller Konzernteile von Osten nach Westen, vor allem in die spätere amerikanische Zone nach Bayern. Während der von Goebbels proklamierte »totale Krieg« noch andauerte und täglich mehr Opfer an Gut und Blut forderte, packten Flick und seine Geschäftsfreunde schon ihre Koffer und setzten sich aus der in Schutt und Asche sinkenden Reichshauptstadt ab. Familie Flick (und mit ihr der Sandkasten- und Schulfreund des jüngsten Sohnes Friedrich Karl, Eberhard von Brauchitsch) zog auf das Hofgut Sauersberg bei Bad Tölz, das Flick gekauft hatte, und dort erwartete er die Ankunft der Amerikaner.

Am 13. Juni 1945 wurde der Konzernherr, der weit oben auf der US-Kriegsverbrecherliste stand, verhaftet – wegen Ausbeutung von Sklavenarbeit, Plünderung und Inbesitznahme jüdischen Eigentums. Erst nach zweieinhalbjähriger Untersuchungshaft kam er vor das Nürnberger Militärtribunal, zusammen mit seinen engsten Mitarbeitern, seinem Vetter Konrad Kaletsch und dem Chef seines Nachrichtendienstes, Otto Steinbrinck. Kaletsch wurde freigesprochen, Steinbrinck zu fünf, Flick zu sieben Jahren Gefängnis verurteilt – aber schon im August 1950 waren beide wieder frei. Als der US-amerikanische Hohe Kommissar für Deutschland McCloy, Adenauers Schwager, Flick begnadigte, hatte der seinen 67. Geburtstag schon hinter sich. Doch das Beste in seinem Industriellenleben sollte erst noch kommen.

Schon im Kriegsverbrechergefängnis hatte sich Flick intensiv und mit Hilfe der Bilanzen, Analysen und sonstiger Unterlagen, die ihm Vetter Kaletsch und sein Anwalt Dr. Wolfgang Pohle (später Schatzmeister der CSU) allwöchentlich brachten, Gedanken über den Wiederaufbau seines Konzernreichs gemacht, von dem ihm ja einiges westlich der Elbe verblieben war: der »Maxhütte«-Konzern mit Zentrum in der Oberpfalz, eine 82prozentige Beteiligung an der Hochofenwerke Lübeck AG, eine über 60prozentige Beteiligung an der Harpener Bergbau AG und knapp 60 Prozent des Kapitals der Essener Steinkohlenbergwerks AG. Zu einem der Treuhänder, die diese Reste seines Imperiums verwalteten,

Friedrich Flick (ganz rechts) vor dem Nürnberger Militärtribunal am 19. April 1947. Dem Angeklagten wurde zur Last gelegt: »Sklavenarbeit, Raub in den besetzten Gebieten, Arisierung und Vorschubleistung bei der verbrecherischen Haltung der SS« (Auszug aus einer Pressemeldung über den Prozeß).

war der Bankier und Adenauer-Intimus Robert Pferd-menges bestellt worden – eine sehr glückliche Wahl, wie Flick befand –, und Flicks langjähriger Privatsekretär Dr. Robert Tillmanns saß als Verbindungsmann in Bonn, seit 1949 als CDU-Abgeordneter im Bundestag, wenig später als »Bundesminister für besondere Aufgaben« im Kabinett Adenauer.

Nicht erst im Kriegsverbrechergefängnis, sondern schon vor Kriegsende hatte Flick den Entschluß gefaßt, sich aus dem Kohlebereich zurückzuziehen – eine Entscheidung, zu der er sich später nur beglückwünschen konnte! Noch von seiner Zelle aus bereitete er den Verkauf seiner Harpen-Anteile (diesmal wirklich) an eine französische Gruppe vor und überließ ihr, kaum daß er wieder auf freiem Fuß war, sein Harpen-Paket für 180 Millionen DM, was – wegen des ausgehandelten, sehr hohen »Paket-Zuschlags« – fast das Dreifache des Kurswerts war. Von seinen Essener Steinkohlen-Anteilen trennte er sich ebenfalls sehr rasch und verkaufte sie an Mannesmann (durch Rechtsanwalt Dr. Pohle) für 50 Millionen DM. So hatte er als gerade haftentlassener Ex-Sträfling im Rentenalter ein Startkapital von fast einer Viertelmilliarde an flüssigen Mitteln und in harter Währung. Damit kaufte er sich in diejenigen Industriezweige ein, die ihm die besten Zukunftsaussichten zu bieten schienen, etwa die Auto- und Kunststoffproduktion.

Es würde abermals Bände füllen, wollte man alle Transaktionen nachvollziehen, die zum Aufbau des Flickschen Nachkriegs-Imperiums führten. Am Ende seines Lebens gehörten ihm jedenfalls als wichtigste Bastionen seines gewaltigen Industriereichs die Feldmühle AG, die alte Maximilianshütte, eine starke Mehrheit an der Buderus AG, Wetzlar, zu deren Konzern auch die Münchener Panzerschmiede Krauss-Maffei zählte, die Dynamit-Nobel AG in Troisdorf mit zahlreichen Konzerntöchtern sowie ein dickes Paket Daimler-Benz-

Aktien, das allein Anfang der 70er Jahre einen Wert von über zwei Milliarden DM darstellte!

Schon 1958, acht Jahre nach Flicks Entlassung aus dem Kriegsverbrechergefängnis Landsberg am Lech, hatte Bundeskanzler Adenauer dem wiederauferstandenen Industriemagnaten zum 75. Geburtstag und »zum großen und staunenswerten Lebenswerk« gratuliert. Tatsächlich konnte man nur staunen, was der durch fünfjährige Haft ungebrochene Greis in so kurzer Zeit wieder zusammengerafft und wie fest er sein Industriereich im Griff hatte.

Dagegen war es äußerst schlecht bestellt um die Erbfolge: Mit seinen beiden Söhnen Otto-Ernst und Friedrich Karl – der zweitgeborene Sohn Rudolf war 1939 gefallen – stand sich der autokratische Übervater miserabel. Zunächst sollte Otto-Ernst (»OE«) das Konzernreich übernehmen, Friedrich Karl (»FK«), vom Vater stets als »Bürschchen« bezeichnet, mit ein paar hundert Millionen abgefunden werden. Dann gab es Krach mit »OE«, es kam sogar zum Bruch des Vaters mit dem Ältesten. Erst zwei Jahre später, Weihnachten 1960, konnte das Zerwürfnis einigermaßen beigelegt werden. Ein komplizierter neuer Gesellschaftsvertrag, der rund 200 Millionen DM an Steuern kostete, wurde aufgesetzt; es lohnt jedoch nicht, näher darauf einzugehen, weil Vater Flick schon ein Jahr später alles wieder umstieß. Er benutzte die Vollmachten, die ihm »OE« und »FK« hatten ausstellen müssen, ehe sie beschenkt wurden, um damit im Alleingang alles neu zu regeln: »FK« wurde nun Thronerbe, wogegen »OE« praktisch jederzeit ausgebootet werden konnte.

Daraufhin zog »OE« vor Gericht, und mehr als ein halbes Jahrzehnt lang stritten sich Vater und Sohn, Großvater und Enkel, Brüder und Schwägerinnen vor den Gerichten, bis 1966 ein Vergleich zustande kam: »OE« bekam eine hohe Abfindung und schied endgültig aus dem Familienkonzern aus; seine beiden Söhne sollten, sobald sie 28 Jahre alt waren, ihre Beteiligungen am Konzern selbst vertreten (wurden aber später von ihrem Onkel »FK« abgefunden und ausgebootet). Übrig blieb »das Bürschchen«, »FK«, der beim Tode des fast 90jährigen Vaters im Jahre 1972 das gesamte Konzernreich erbte.

Zweifel an der Befähigung seines Jüngsten, den Konzern zu führen, hatte Friedrich Flick von Anfang an gehabt. Deshalb hatte er Eberhard von Brauchitsch, »FKs« Jugendfreund, diesem als Generalbevollmächtigten an die Seite gestellt. Aber 1971, ein Jahr vor dem Tode des alten Flick, war es zum Krach zwischen dem Juniorchef und seinem Hausmeier gekommen. So hatte von Brauchitsch ein Angebot Axel Springers angenommen und war dessen Generalbevollmächtigter geworden. Ein Jahr später, vom Totenbett des Vaters aus, rief »FKF«, wie er nun genannt wurde, von Brauchitsch zurück. Springer ließ seinen, wie er sagte, »besten Mann« ziehen, zahlte ihm aber weiterhin ein stattliches Beraterhonorar, denn er wollte ihn nicht ganz verlieren.

»In den frühen 70er Jahren«, so »Der Spiegel«, »arbeiteten ›FKF‹ und ›v. B.‹ zunächst bestens zusammen. Nach dem Tod des Alten half v. B., die Alleinherrschaft des Sohnes abzusichern. Dann setzte das Duo zu seinem Herkules-Werk an: Um die Steuerbefreiung für die Daimler-Milliarden« – der Erlös des Verkaufs eines Teils von Flicks Daimler-Benz-Anteilen an einen arabischen Ölscheich – »durchzudrücken, mußte die traditionelle Spenden-Maschinerie des Hauses Flick auf höchste Touren gebracht werden ... Geld spielte keine Rolle. Die Schwarze Kasse quoll über von jenen Millionen, die von Brauchitsch über die katholische Steyler Mission dem Staat direkt abgeluchst hatte. Doch fehlte es dem Konzernchef und seinen Helfern auch nicht an herkömmlich verdientem Geld ...« Kein Wunder, denn auch nach dem

Verkauf der Mehrheit seiner Daimler-Aktien war »FKF«
noch mit zehn Prozent am Daimler-Benz-Aktienkapital
beteiligt; es gehörte ihm ein Drittel des US-Konzerns
Grace; die Feldmühle AG (Umsatz 1983: 2,7 Milliarden
DM) samt riesigem Auslandsbesitz, vor allem in Kanada,
war 100prozentig in Flick-Eigentum, und er hielt weiterhin eine starke Mehrheit beim Buderus-Konzern. An
dessen Münchener Tochter Krauss-Maffei blieb Flick
auch nach dem Verkauf der Waffenschmiede an MBB
und den Diehl-Konzern weiterhin mit zehn Prozent
beteiligt, und schließlich war auch die Dynamit-Nobel
AG (Umsatz 1983: 3,2 Milliarden DM) zu fast 100 Prozent in Flick-Eigentum.

Was aber die laut »Spiegel« überquellende Schwarze
Kasse und die beim Auffüllen hilfreiche Steyler Mission
betraf, so waren die Steuerfahnder Anfang 1982 einem
abenteuerlichen Gegengeschäft auf die Spur gekommen:
Ein Unternehmen, das die Finanzen der katholischen
Steyler Missionsgesellschaft verwaltet, die »Soverdia Gesellschaft für Gemeinwohl mbH«, hatte vom Hause Flick
rund zehn Millionen DM an Spenden erhalten – auf den
ersten Blick ein frommes Werk, wie man es von Flick gar
nicht erwartet hätte. Doch bei näherem Hinsehen fanden
die Fahnder heraus, daß Pater Josef Schröder, der »Soverdia«-Geschäftsführer, anschließend 80 Prozent der
erhaltenen Summe an den Spender bar zurückgezahlt
hatte!

Dazu »Der Spiegel« damals: »Flick-Chefbuchhalter
Diehl erinnert sich: ›Etwa 1975/76 wurde ich erstmals
von (dem damaligen Flick-Generalbevollmächtigten)
Kaletsch angewiesen, von Herrn Pater Schröder Geld in
Empfang zu nehmen. Es handelte sich um einen Betrag
von 800 000 DM. Mir war damals klar, daß zwischen
diesem Betrag und der vorher gegebenen Spende (von
1 000 000 DM) ein unmittelbarer Zusammenhang be-
stand. Im folgenden Jahr ereignete sich der gleiche Vor-

gang mit demselben Betrag ...‹ Insgesamt zehn Millionen Mark flossen nach den Ermittlungen der Bonner Staatsanwaltschaft innerhalb von zehn Jahren an die Soverdia, acht Millionen kamen wieder in Flicks schwarze Kasse zurück ...«

Zehn Prozent der Spendensumme durfte die Steyler Mission behalten, weitere zehn Prozent gingen an den Darmstädter CDU-Bundestagsabgeordneten Walter Löhr, der »die Sache« ausgetüftelt und vermittelt hatte. »Den besten Schnitt« – so »Der Spiegel« – »aber machte die Flick-Gruppe: Sie strich nicht nur die geheimen Rückflüsse in Höhe von 80 Prozent der Spenden ein (und konnte damit die Schwarze Kasse füllen), sondern konnte auch Spendenbescheinigungen über zehn Millionen Mark beim Finanzamt vorlegen. Die Steuervergünstigung betrug damals bis zu 51 Prozent der Spendensumme«, im Falle Flick nochmals ein »Verdienst« von mehr als fünf Millionen DM.

Dennoch ist diese krumme Spenden-Angelegenheit nur ein vergleichsweise geringfügiger Nebenaspekt des eigentlichen Skandals, des »Milliardendings«. Denn – so die Staatsanwälte – mit Unterstützung der zuständigen Bundesminister Friderichs und Graf Lambsdorff, gewiß aber unter Vorspiegelung falscher Tatsachen, hat Flick zu Unrecht eine Steuerbefreiung in Höhe von 450 Millionen DM erreicht. Flick hat, um 800 Millionen DM aus dem Verkauf von Daimler-Aktien steuerfrei in eine starke Beteiligung an dem US-Chemiekonzern Grace & Co investieren zu können, dieses Geschäft als volkswirtschaftliche Pioniertat ausgegeben.

Zum Segen für die deutsche Wirtschaft, so hatten die Flick-Manager behauptet, verschaffe diese Geldanlage in den USA der Bundesrepublik den ersehnten Zugang zu fortschrittlichsten amerikanischen Technologien. Grace und Flick, so machten die Flick-Manager den Ministerien vor, würden eine Kommission bilden, um den Austausch von Wissen abzuwickeln. »In Wahrheit«, so »Der Spiegel«, »passierte gar nichts. Grace-Präsident Peter Grace kehrte mit ein paar Managern von einer Deutschland-Reise mit der Erkenntnis zurück, daß mit den neuen Eigentümern zwar schöne Schiffstouren und Spesen zu machen wären, aber kein Technologietransfer.«

Der Bonner Staatsanwaltschaft, die in den Flick-Chefetagen über hundert Aktenordner beschlagnahmte, wurde bald auch klar, von wem viele der steuersparenden Ratschläge stammten, deren Befolgung den Skandal heraufbeschworen hatte. Zu den Ratgebern Flicks zählte nämlich auch ein alter Freund des Hauses: Franz Josef Strauß.

Aus dem Protokoll seiner staatsanwaltschaftlichen Vernehmung konnte »Der Spiegel« folgendes zitieren: ». . . Ich (Franz Josef Strauß) habe, wie angegeben, Herrn Flick vor etwa acht Jahren geraten, in Nordamerika zu investieren. Ich habe ihm geraten, seine inländischen Betriebe zu entschulden und zu modernisieren. Ich habe in dem Zusammenhang ihm einmal, wahrscheinlich im Jahre 1978, einen Brief geschrieben, in dem ich ihm geraten habe, die Voraussetzung des § 6b (Einkommensteuergesetz) und § 4 (Auslandsinvestitionsgesetz) sehr genau zu nehmen. Ich war damals der Meinung, daß für die Erfüllung der Kriterien unter anderem ein Kooperationsabkommen (mit) der Firma Grace die Prüfung der hiermit verbundenen steuerrechtlichen Frage erleichtern würde.«

Auf den Vorhalt des Staatsanwalts: ». . . Herr Ministerpräsident, wir haben Sie nunmehr davon in Kenntnis gesetzt, daß sich aus den im Jahre 1974 beginnenden Aufzeichnungen des Flick-Konzerns aus dem Hefter ›CSU‹, der sich im Gewahrsam der Staatsanwaltschaft befindet, folgende Vermerke ergeben:

›21. 4. (75) Ka/vB wg F. J. S.   200 000.-
 12. 7. (76) Dr. FKF wg F. J. S. 250 000.-

11. 7. (78) Dr. FKF wg F. J. S. 250 000.-
24. 10. (79) Dr. FKF wg F. J. S. 250 000.-*‹
Können Sie dazu irgendeine Erklärung abgeben?«
    Antwort von Ministerpräsident Strauß:
    »1. Ich bin am Zustandekommen keiner dieser Unter-
lagen beteiligt.
    2. Offensichtlich gibt es auch keine Quittungen, die
ich selbstverständlich bei eventuellen Auszahlungen,
wenn gewünscht, ausgestellt hätte, zumal steuerlich rele-
vante Vorgänge offensichtlich überhaupt nicht zugrunde
liegen.
    3. Der Beginn Ihrer Unterlagen ist deshalb verwirrend
oder irreführend, womit ich keine Absicht unterstelle,
weil neben unzähligen Kleinspendern auch einige Groß-
spender, darunter die Flick-Unternehmungen, die CSU
immer wieder unterstützt haben. Ich darf nebenbei
bemerken, daß es sich hier nicht um die Honorierung von
Ratschlägen handelt, sondern um eine bestimmte politische Linie im In- und Ausland ...«
Diese Aussage von Strauß, der sich, wenn er Gefahr
wittert, wie ein Tintenfisch einzunebeln pflegt, spricht
für sich selbst und bedarf keiner Erläuterung. Immerhin
läßt sich aus dem Schwall von Phrasen und Schutzbe-
hauptungen zweierlei deutlich erkennen: Strauß kann
nicht bestreiten, von Flick viel Geld bekommen zu
haben, aber er will das nicht als »Honorierung von Ratschlägen« verstanden wissen, weil ihn dies in den Verdacht der Anstiftung oder Beihilfe zu Straftaten bringen
könnte, sondern als »Unterstützung« einer – und zwar
doch wohl seiner – »politischen Linie« im In- und Ausland. (Dazu sei angemerkt, daß sich Strauß seine auslän-
dischen Freunde vorzugsweise auf der äußersten Rech-

---

* Gemeint sind offensichtlich mit »Ka« Konrad Kaletsch, mit »vB«
Eberhard von Brauchitsch, mit »Dr. FKF« Dr. Friedrich Karl Flick,
mit »F. J. S.« Franz Josef Strauß.

ten sucht: 1977 stattete er Pinochet in Chile einen Besuch ab und lobte nach seiner Rückkehr dessen Regime; er verteidigte die südafrikanische Politik der Apartheid und des Polizeiterrors; er traf sich mit zahlreichen prominenten Alt- und Neufaschisten Spaniens, Portugals, Italiens und Griechenlands, sogar mit dem Führer der für ihre Bluttaten berüchtigten türkischen »Grauen Wölfe«.)

Noch etwas seltsamer als die Erklärung, die Strauß der Justiz für das viele Flick-Geld gab, das er erhalten hatte, war die Aussage von Dr. Friedrich Karl Flick im Prozeß gegen die Ex-Bundesminister Graf Lambsdorff und Friderichs, als der Richter den Zeugen Dr. Flick nach Wesen und Zweck der Spenden an »FJS« befragte. Von Spenden, so Dr. Flick, verstehe er nichts; er könne da also »nur mutmaßen«. Und das tat er dann auch: »Spenden«, so gab er zu Protokoll, »das war das berechtigte Anliegen, vor demokratischen Parteien – wie's auch beim Vater früher oder beim Onkel Kaletsch üblich gewesen sein mag – ein offenes Ohr zu finden.«

Aber, so wollte der Richter nun wissen, ob er nie daran gedacht habe, sich damit Vorteile für den eigenen Betrieb zu verschaffen?

Darauf Dr. Flick: »Diese Überlegungen sind mir unbekannt.«

Alsdann sollte der hochherzige, völlig selbstlose Spender erklären, wie denn so eine Spendenzahlung an einen Spitzenpolitiker vor sich gegangen sei, zum Beispiel wenn Dr. Flick seinem Freund Franz Josef Strauß einen Umschlag mit 250 Tausendmarkscheinen überreicht habe.

Ausnahmsweise konnte Dr. Flick in diesem Fall mit einer klaren Antwort dienen: »Da ist er (Strauß) beim erstenmal ins Nebenzimmer gegangen und hat nachgezählt. Und dann ist er zurückgekommen und hat sich bedankt.« Beim zweitenmal, fügte er noch stolz hinzu,

Friedrich Karl Flick vor dem Bonner Bundestagsausschuß zur Klärung der Flick-Affäre.

»hat er dann nicht mehr nachgezählt.« Nun wollte der Richter auch noch wissen, warum das Haus Flick seine Politiker-Spenden stets in bar entrichtete.

Dr. Flick: »Meines Wissens hat es sich einfach so ergeben: Wenn man sich im süddeutschen Raum so begegnet ist, hat man das Geld der Einfachheit halber gleich übergeben.«

Kein Gedanke an die Möglichkeit der Steuerhinterziehung, auch nicht an die Eventualität, daß vielleicht die Empfänger lieber Bargeld in Empfang nahmen, »um« – so fragte der offenbar durchaus mit dem praktischen Leben vertraute Richter – »nicht immer Rechenschaft bei ihren Schatzmeistern ablegen zu müssen?« Flick wußte es nicht.

Er ließ das Gericht wissen, daß er eigentlich von gar nichts gewußt habe, schon überhaupt nichts von den angedeuteten Möglichkeiten. Kurz, Multimilliardär Dr. Friedrich Karl Flick überzog mitunter – so »Der Spiegel« – »allzu erkennbar seine Rolle als Konzerndepp«. Übertroffen wurde er nur noch von einem seiner Großspenden-Empfänger, dessen Rolle vor Untersuchungsausschüssen, Justiz und Presse man analog die eines »Politdeppen« nennen müßte: Bundeskanzler Dr. Helmut Kohl.

Bei seiner Vernehmung durch die Bonner Staatsanwaltschaft am 5. Juli 1982 hatte Dr. Kohl, damals noch nicht Bundeskanzler, zugegeben, vom Haus Flick gelegentlich größere Bargeld-Spenden erhalten zu haben. Daß es insgesamt 565 000 DM gewesen waren, die Flick-Chefbuchhalter Diehl zwischen 1974 und 1980 exakt verbucht hatte, war Kohl indessen »völlig unbekannt«.

Befragt, was ihm »völlig unbekannt« gewesen sei: die Höhe der Summe oder die Verbuchung durch Diehl, erwiderte Dr. Kohl, er könne »über Einzelheiten aus der Erinnerung keine Angaben machen«.

Indessen erinnerte er sich zwei Jahre später, am 7. November 1984, vor dem Flick-Untersuchungsausschuß des Bundestages genau daran, daß eine »kleinere« Flick-Spende, lumpige 30 000 DM, »bei uns nicht eingetroffen« sei – ein Vorgang, den der akribische Flick-Chefbuchhalter Diehl mit Datum vom 6. Dezember 1977 verbucht hatte.

Für die »Nikolaus-Spende«, wie sie genannt wurde, gab es jedoch besonders viele und starke Indizien. Am Nikolaus-Tag 1977 waren 60 000 DM von einem »inoffiziellen« Konto des Hauses Flick bei einer Filiale der Deutschen Bank in Düsseldorf bar abgehoben worden; die Abbuchung bei der Bank und der Eintrag ins Schwarze Kassenbuch bei Flick stimmten überein, und dazu paßte auch Diehls Vermerk vom 6. 12. 1977: »vB wg. Kohl 30 000 DM; vB wg. Graf Lambsdorff 30 000 DM«, macht zusammen 60 000 DM. Parallel dazu hatte von Brauchitsch am 6. Dezember 1977 den Erhalt eines Barbetrags von 60 000 DM korrekt quittiert, und auf der Rückseite der Quittung war vermerkt: »30 Ko 30 GrLa«, womit wohl nur gemeint sein konnte, das Geld ginge je zur Hälfte an Helmut Kohl und Graf Lambsdorff. Überdies trug der vorbildliche Chefbuchhalter Diehl ins Kassenbuch für »Inoffizielle Zahlungen« am 6. 12. 1977 ein: »vB wg Kohl und Lambsdorff 60 000«, und man darf wohl annehmen, daß mit der Zahl keine roten Rosen, weißen Mäuse oder grünen Äpfel gemeint waren, sondern bare DMark. Überdies hatte am Vorabend des Nikolaus-Tages 1977, am 5. Dezember, eine Brauchitsch-Sekretärin ihrem Chef folgende Notiz vorgelegt, die sich bei den Gerichtsakten befindet:

»Frau Weber/Sekr. Kohl fragt an, ob es Ihnen recht ist, wenn sie morgen, Dienstag, 6. 12., gegen 16 Uhr bei ihnen kurz vorbeikommt.« Dazu hat Eberhard von Brauchitsch im Dezember 1985 vor dem Bonner Landgericht erklärt: »Sie (gemeint war Kohls Vertraute Juliane

Weber) hat schon mal für Herrn Kohl Geld empfangen...« – und, wie die Akten zeigen, nicht gerade selten: mindestens vier Besuche Juliane Webers bei von Brauchitsch sind vermerkt, die mit drei Zahlungen von je 50 000 DM und einer von 30 000 DM, alle »wg Kohl«, korrespondieren.

Das – für Helmut Kohl – Ärgerliche ist, daß es für die meisten Flick-Spenden »wg Kohl« entsprechende Eingangsbuchungen bei der CDU-Schatzmeisterei gibt, nicht jedoch für die »Nikolaus-Spende« und auch nicht für weitere 25 000 DM, die ebenfalls fehlen. Schließlich fehlt inzwischen noch etwas anderes, nämlich Kohls Erinnerung an die Geldwaschanlagen von Rheinland-Pfalz, die die von der Industrie kommenden, sehr großzügigen Parteispenden am Finanzamt vorbei (und für die Geber enorm steuersparend) in die richtigen Tröge lenkten.

Helmut Kohl, seit 1966 Landesvorsitzender der CDU, seit 1969 auch Regierungschef in Rheinland-Pfalz und seit 1975 Bundesvorsitzender der Partei, die von dem Spenden-Unwesen am meisten profitiert hat, erinnert sich an rein gar nichts mehr, überhaupt nicht an Geldwaschanlagen in Rheinland-Pfalz, hat vielmehr alles vergessen, ausgenommen das so lustige gesellige Beisammensein nach Vorträgen bei der »Staatsbürgerlichen Vereinigung« (SV) in Koblenz, jenem rheinland-pfälzischen Geldsammel- und -waschbecken, aus dem seiner Partei etliche hundert Millionen DM zugeflossen sind. Vielleicht hatte er – so vermutete Heiner Geißler, sein Schnelldenker und Wahlkampf-Manager, etwas vorlaut – bei seinen Aussagen über die »SV« vor dem Untersuchungsausschuß aber auch nur Erinnerungslücken und gab irrige und unvollständige Antworten als Opfer eines »Blackout«.

Diese vom klugen Generalsekretär Heiner Geißler erwogene Möglichkeit, daß dem Bundeskanzler mitunter, wenn auch nur vorübergehend, der Verstand abhanden komme, sollten die Wähler bedenken, denn ein Regierungschef mit gelegentlichen Ausfallerscheinungen ist keine angenehme Vorstellung für die Menschen in »diesem unserem Lande«.

Doch auch ein Kanzler, der geistig völlig intakt ist und niemals, auch nicht versehentlich, die Unwahrheit sagt, sich aber regelmäßig von Großindustriellen dicke Banknotenbündel überreichen (oder seine Gefährtin, Frau Regierungsdirektorin Juliane Weber, das gebündelte Bare beim Konzern abholen) läßt, ist – sehr gelinde ausgedrückt – etwas fragwürdig.

Er gibt nämlich zu der Vermutung Anlaß, daß er in seinen Entscheidungen alles andere als frei ist, sich vielmehr in allen wichtigen Fragen nach den Wünschen seiner Geldgeber richten muß. Ja, der Verdacht ist nicht auszuschließen, daß er den von ihm geschworenen Eid, »Schaden abzuwenden und den Nutzen zu mehren«, nicht auf das deutsche Volk bezieht, wie die Eidesformel es fordert, sondern nur auf einen sehr kleinen Teil dieses Volkes, nämlich auf die so spendablen Herren der großen Konzerne.

Bleibt noch zu fragen, welche Wünsche die Konzernherren denn haben könnten und ob Kanzler Kohl und seine Regierung sie ihnen zu erfüllen imstande sind oder ob sie sie ihnen gar schon, ganz oder teilweise, erfüllt haben.

Warum die Konzerne die »Wende« finanziert und was sie dafür schon bekommen haben

Wenn Großunternehmen Hunderte von Millionen Mark investieren, wie sie es taten, als sie jahrelang sehr viel Geld in die Kassen von CDU, CSU und FDP sowie in die Taschen führender Politiker fließen ließen, dann wollen sie für ihr Geld natürlich auch Gegenleistungen erbracht sehen, die die hohen Ausgaben nachträglich überreichlich lohnen.

Neben den Sonderwünschen einzelner Großunternehmer – beispielsweise Flicks Wunsch nach Befreiung von allen Steuerzahlungen für sein »Milliardending«, die ihm dann ja auch gewährt wurde – oder einzelner Branchen – wie etwa die ebenfalls gelungene Abwehr vernünftiger Sparmaßnahmen im Arzneimittelbereich durch die Pharma-Industrie – haben alle großen Bosse unseres Landes auch einige gemeinsame Wünsche: Sie wollen mehr Profit, egal ob durch steuerliche Entlastung oder durch Befreiung von lästigen, weil hohe Kosten verursachenden Auflagen, etwa im Umwelt- oder Arbeitsschutzbereich, ob durch Senkung ihrer Lohn- und Lohnnebenkosten oder durch hohe Subventionen.

Es gibt noch vieles, was den Profit kräftig steigert, und am liebsten ist es den großen Bossen, wenn ihnen die Regierung alles auf einmal und in möglichst reichem Maße beschert. Die Regierung Kohl-Genscher hat sich seit 1983 die größte Mühe gegeben, den Konzernen nur ja alles recht zu machen, wobei es eine Schwierigkeit gibt: Wenn man so viel zugunsten von wenigen Superreichen tut, geht dies leider zu Lasten der breiten Mehrheit all derer, die nicht zu den Multimilliardären gehören. Da die Regierung aber, wenn sie über den nächsten Wahltag hinaus am Ruder bleiben will (und nach dem Willen ihrer Geldgeber aus der Konzernwelt auch soll), eine Mehrheit der Wählerstimmen benötigt, muß sie das Kunststück fertigbringen, sich all denen überzeugend als Wohltäterin anzupreisen, die sie zugunsten des Großen Geldes benachteiligt und geschädigt hat. Ihr Spezialist für diese schwierige Aufgabe heißt Dr. Norbert Blüm, Vorsitzender der CDU-Sozialausschüsse, auch Mitglied einer DGB-Gewerkschaft, seit 1983 Bundesminister für Arbeit (was aber wohl nur eine irreführende Abkürzung ist, denn tatsächlich fungiert Dr. Blüm als Minister für Arbeit*geberinteressen*). »Den Opfern des Sozialabbaus in ihrer Sprache zu antworten, ihnen die staatlichen Maßnahmen *mit ihren eigenen Worten* als Wohltat zu verkaufen – diesen Trick beherrscht kaum ein anderer Politiker so sicher und vertrauenerweckend wie Norbert Blüm«, heißt es in der hervorragenden Studie von Hans Uske, »Die Sprache der Wende«, über diesen mit Roßtäuschermethoden arbeitenden Demagogen, der den Abbau der Sozialleistungen folgendermaßen rechtfertigt:

»Dafür brauche ich gar keine volkswirtschaftlichen Theorien. Das entspricht auch dem Lebensgefühl der Arbeiterfamilie. Die Arbeiterfamilie hat nie auf Pump gelebt. Sie hat immer gewußt: Man kann nicht mehr essen, als auf dem Tisch steht; und ein Staat kann nicht mehr ausgeben, als er einnimmt. Das entspricht dem Lebensgefühl der Arbeitnehmer.« So Dr. Blüm im Bundestag am 8. Dezember 1983.

»Norbert Blüm weiß das alles sehr genau«, hat Hans Uske treffend dazu bemerkt. »... Das nutzt er für seine Übertölpelung. Denn der Staat ist natürlich keine Arbeiterfamilie, und Staatsschulden sind nicht mit einem Überziehungskredit zu vergleichen. Aber nehmen wir mal an, ›der Staat‹ sei tatsächlich in so tiefer Not wie eine Arbeiterfamilie. Wieso nimmt Blüm dann den armen Familienmitgliedern Geld weg, um es dem reichen

Onkel als Steuergeschenk in den Rachen zu werfen? Wenn er uns schon alle zu einer riesigen Arbeiterfamilie macht, wäre es klar, daß uns die Wohlhabenden aus der Patsche helfen müßten. In richtigen Arbeiterfamilien gehört das zum guten Benehmen ...«

In derselben Bundestagsrede vom 8. Dezember 1983 gab sich Dr. Blüm sogar noch ein bißchen proletarischer:

»Die Zinsen der staatlichen Schuldenpolitik bekommen nicht die Rentenempfänger, die Sozialhilfeempfänger, sondern diejenigen, die dem Staat das Geld leihen konnten«, erklärte er, mehr für das Fernsehpublikum, das seine Rabulistik in der »Tagesschau« serviert bekam, als für seine wenigen Zuhörer im Bundestag. »Das sind nicht die armen Leute, das sind die Ölscheichs, die Banken und die Besserverdienenden. Schulden abbauen ist soziale Politik!«

»Ist das nicht klassenkämpferisch«, heißt es dazu in dem bissigen Kommentar von Hans Uske, »wie Kollege Blüm hier gegen Ölscheichs, Banken und Besserverdienende vorgeht? In Wirklichkeit benutzt er ein paar proletarische Reizworte, um den Klassenkampf von oben – den er selbst mit vorantreibt – sprachlich in einen angeblichen Kampf gegen Ölscheichs und Banken zu verwandeln. Seine Arbeitersprache setzt Blüm ein, wie es ihm gerade paßt.«

Denn bei anderer Gelegenheit kann er genauso geschickt die – angeblich faulenzenden – Sozialhilfeempfänger, die er eben noch als »arme Leute« für seine Scheinargumentation benutzt hat, in Parasiten und »Ausbeuter« verwandeln und folgendermaßen – in seinem Buch »Die Arbeit geht weiter«, München 1983, Seite 9 – verunglimpfen:

»Aber ist es nicht eine moderne Form der Ausbeutung, sich unter den Palmen Balis in der Hängematte zu sonnen, alternativ vor sich hin zu leben im Wissen, daß

Der Bundesminister für Arbeit(geberinteressen) und Sozialordnung, Dr. Norbert Blüm, ermahnt das Volk, nicht in der sozialen Hängematte auszuruhen.

eine Sozialhilfe, von Arbeitergroschen finanziert, im Notfall für Lebensunterhalt zur Verfügung steht?«

Dazu noch einmal der Kommentar von Hans Uske: »Wie andere Politiker stützt sich Blüm auf schon vorhandene Vorurteile gegen ›Drückeberger‹. Blüms Spezialität ist jedoch der Appell ans Klassenbewußtsein ...: ›Ausbeutung‹? Machen die Unternehmer, muß der Arbeiter gegen kämpfen. ›Arbeitergroschen‹? Sind sauer verdient, wollen die Reichen wegnehmen, muß man verteidigen. ›Unter den Palmen Balis?‹ Da liegen die Playboys am Strand, sonnen sich Ausbeuter von sauer verdienten Arbeitergroschen. Während er so die Opfer seines Sozialabbaus denunziert, hofft Blüm auf Applaus von Arbeitern – was besonders makaber ist, da die ja selbst zu seinen Opfern gehören.«

Norbert Blüm geht sogar noch einen Schritt weiter: Im Sommer 1986 ließ sein Ministerium verbreiten, von einem Sozialabbau könne überhaupt nicht die Rede sein – im Gegenteil: Die Sozial*ausgaben* hätten vielmehr seit der »Wende« eine kräftige Steigerung erfahren! Und tatsächlich: Wenn man, wie es ein zu dieser dreisten Behauptung geliefertes Schaubild tat, alle Ausgaben im Gesundheitswesen, vor allem die – von der »Pillenlobby« unter vormaliger Führung des späteren Juwelenräubers Dr. Scholl herbeigeführte – Kostenexplosion bei Arzneimitteln hinzurechnete, ebenso die den Gemeinden aufgebürdeten Sozialhilfe-Lasten, dann hatten sich allerdings die Sozialausgaben drastisch erhöht – nur waren die Leistungen, auf die der oder die einzelne Anspruch hatten, keineswegs gestiegen, sondern hatten sich real vermindert. Kräftig vermehrt hatten sich hingegen die Profite, beispielsweise die der Pharma-Industrie, aber auch die Honorareinnahmen etwa bei den Zahnärzten.

Tatsächlich ist nach drei Jahren rigoroser »Wende«-Politik eines klar: Die »Wende« ist in die für die Allgemeinheit falsche Richtung gegangen. Die Unternehmergewinne haben astronomische Höhen erreicht, die Kapitalflucht ins Ausland und die Steuerhinterziehungen ebenfalls (wobei der der Beihilfe zur Steuerhinterziehung angeklagte Ex-Wirtschaftsminister Graf Lambsdorff dazu erklärt: Mit diesem Delikt befinde er sich in allerfeinster Gesellschaft ...). Aber die Bundesbürger warten vergeblich darauf, daß mit neuen Investitionen Arbeitsplätze geschaffen werden; daß die Arbeitslosigkeit endlich zurückgeht.

Alles, was Helmut Kohl und Norbert Blüm bislang zum Abbau der Arbeitslosigkeit unternommen haben, war eine kosmetische Behandlung der Statistik: Mit der 7. Novelle zum Arbeitsförderungsgesetz wurde die Möglichkeit geschaffen, rund 100 000 Arbeitslose im Alter zwischen 50 und 59 Jahren aus der Statistik verschwinden zu lassen, ebenso rund 40 000 arbeitslose Frauen.

Doch das reicht längst noch nicht aus, das – so Kohl – »leidige Thema« Arbeitslosigkeit zu »entschärfen«. Deshalb hat sich die Leiterin des Allensbacher Instituts für Demoskopie, Frau Professor Noelle-Neumann, etwas ganz Neues ausgedacht. Kohls Hof-Demoskopin machte der Bundesregierung bereits im Februar 1986 den Vorschlag, im Hinblick auf die bevorstehenden Bundestagswahlen vom Januar 1987 »den Block der Arbeitslosen aufzuteilen«. Rund 700 000 Arbeitslose sollen »als Alkoholiker, Drogensüchtige, jugendliche Sektenmitglieder« oder schlicht als »freiwillig arbeitslos« diffamiert und – zumindest auf dem Papier – von der erschreckenden Gesamtzahl in Abzug gebracht werden. Sodann sollte der immer noch gewaltige Rest unterteilt werden in »Alleinernährer; Arbeitslose in Haushalten, in denen es einen zweiten Hauptverdiener gibt, und Arbeitslose, die Nebenverdiener sind«.

Frau Noelle-Neumann hat der Bundesregierung geraten, diese Zahlenakrobatik nicht selbst vorzunehmen.

Ein solches Rechenkunststück, »das vor der heißen Phase des Wahlkampfes abgeschlossen werden soll«, müßte »aus privater Initiative« in Auftrag gegeben werden. Inzwischen haben Arbeitgeberverbände, Konzerne »und andere private Geldgeber« die Allensbacher mit der Durchführung dieses Roßtäuschertricks beauftragt. »Wir werden die Arbeitslosigkeit einigermaßen wegerklären«, meinte dazu ein Allensbach-Mitarbeiter. »Leicht wird das nicht gerade sein, aber es wird hoffentlich reichen, der Bundesregierung im Wahlkampf über die Runden zu helfen ...«

Diese und andere Täuschungsmanöver ändern natürlich nicht das Geringste am tatsächlichen Ausmaß der Dauermassenarbeitslosigkeit. Den Wählern soll lediglich Sand in die Augen gestreut werden. Sie sollen nicht merken, warum wohl »Arbeitgeberverbände, Konzerne und andere private Geldgeber« daran interessiert sind, zwei bis drei Millionen Menschen ohne festen Arbeitsplatz zu lassen; weil so nämlich die Voraussetzung dafür geschaffen wird, Löhne und Gehälter zu drücken und die Beschäftigten zu »freiwilligem« Verzicht auf wohlerworbene Rechte und Ansprüche zu bewegen. »Je mehr Arbeitslose wir haben und je schlechter es ihnen geht, desto besser wird die Arbeitsmoral, desto weniger drükken uns die Lohnkosten«, stellte bereits 1931 Friedrich Flick auf einer Aktionärsversammlung in Düsseldorf fest, und daran hat sich bis heute nichts geändert.

Am schlechtesten dran sind gegenwärtig jene jugendlichen Arbeitslosen ohne Ausbildung, denen Kanzler Kohl vollmundig »für jeden und jede eine Lehrstelle« versprochen hat (woran er begreiflicherweise nicht mehr erinnert werden möchte). Um der Statistik willen werden jugendliche Dauerarbeitslose im wehrpflichtigen Alter gern zu kurzen Übungen einberufen, denn die Unterbrechung genügt, sie aus der Rubrik »Dauerarbeitslose« verschwinden zu lassen.

Auch das sogenannte Beschäftigungsförderungsgesetz hat, auch und gerade für junge Leute, drastische Verschlechterungen gebracht: Zur Freude der Bosse fördert es das Heuern und Feuern, erlaubt ohne sachliche Begründung befristete Arbeitsverträge bis zu 18monatiger Dauer und verlängert die zulässige Dauer der ohnehin höchst bedenklichen, ausbeuterischen Leiharbeit auf die doppelte Zeit, sechs Monate! Wie die Gewerkschaft Handel, Banken und Versicherungen (HBV) Anfang August 1986 bekanntgab, ist jede zweite Einstellung seit dem 1. Mai 1985 befristet vorgenommen worden. Das bedeutet, so der HBV-Vorsitzende Günter Volkmar, »daß für diese Arbeitnehmer das Kündigungsschutzgesetz nicht gilt! Wer angesichts dieser Entwicklung von Erfolgen redet« – wie es der Arbeitgeberverband gerade getan hatte –, »muß sich grobe Unredlichkeit vorwerfen lassen.« Das Arbeitsförderungsgesetz des Ministers Blüm, so Volkmar, habe »weder zur Schaffung von neuen Arbeitsplätzen noch zum Abbau von Überstunden beigetragen«.

Solche Kritik, zumal wenn sie nicht zu widerlegen ist und mit Fakten untermauert wird, die deutlich zeigen, daß den Unternehmern nur Vorteile, der Masse der Lohn- und Gehaltsabhängigen dagegen nur Nachteile aus dieser Arbeitsmarktpolitik erwachsen, wird von dem CDU-Propagandachef Heiner Geißler als »Sozialneid« abgetan – so als sei es verwerflich, wenn Arbeitnehmer den Abbau ihrer wohlerworbenen Rechte nicht hinnehmen wollen und es wagen, darauf hinzuweisen, daß die Geschenke der »Wende«-Regierung an die Reichen voll und ganz zu Lasten aller anderen gehen.

Doch das sogenannte Arbeitsförderungsgesetz ist längst nicht alles, was Minister Blüm den Erwerbstätigen der Bundesrepublik zumutet:

Höchst umstrittene, von den Gewerkschaften bekämpfte Formen der Teilzeitarbeit wurden gesetzlich abgesegnet, sowohl die Arbeitsplatzteilung (»Job-sharing«) als auch die »kapazitätsorientierte variable Arbeitszeit«, KAPOVAZ genannt. Die Schutzbestimmungen für Jugendliche wurden abgebaut: die erlaubte Schichtzeit auf Bau- und Montagestellen für Jugendliche wurde auf elf Stunden verlängert, der Arbeitsbeginn von sieben auf sechs Uhr vorverlegt, in Bäckereien sogar auf vier Uhr.

Dazu Dr. Blüm am 13. September 1984 im Bundestag: »Kann mir jemand erklären, wieso aus Gesundheitsschutzgründen der 16jährige Lehrling anders behandelt werden soll als der 16jährige Arbeitnehmer? Der eine darf (!) um sechs Uhr anfangen, der andere erst um sieben.« Offenbar sieht Blüm die Gerechtigkeit im Jugendarbeitsschutz am besten dadurch gewahrt, daß man die für eine Gruppe bereits erkämpften Rechte wieder beseitigt und die Lehrlinge mit den bisher noch benachteiligten Ungelernten gleichstellt.

Am härtesten sprang die Regierung Kohl mit den Rentenempfängern um, und von diesen traf es am schwersten die Frauen: Mitte 1984 hatten von den fast fünf Millionen Rentnerinnen etwa 27 Prozent eine eigene Rente, rund 36 Prozent ältere Frauen beziehen lediglich eine Witwenrente. In der Arbeiterrentenversicherung werden durchschnittlich 656,80 DM monatlich bezahlt, in der Angestelltenversicherung 926 DM. Aber: Weit mehr als die Hälfte der ehemaligen Arbeiterinnen und mehr als ein Viertel der früheren weiblichen Angestellten müssen sich mit einer Rente begnügen, die unter dem Existenzminimum liegt, mit weniger als 500 DM monatlich.

Gerade bei diesen Frauen und bei anderen ohnehin benachteiligten Gruppen, etwa den Schwerbehinderten, hat die Regierung Kohl unter der Regie des für Arbeit und Soziales zuständigen Ministers Blüm den Rotstift angesetzt:

Durch das Haushaltbegleitgesetz 1984 wurde unter anderem den Hausfrauen der Invaliditätsschutz – trotz oft jahrelanger Beitragszahlung in die Rentenversicherung – einfach gestrichen. Bis 1988 werden durch den systematisch betriebenen Sozialabbau der »Wende«-Regierung im Bereich der Erwerbsunfähigkeitsrenten fast 25 Milliarden DM eingespart. Die Leidtragenden sind fast ausschließlich Hausfrauen und Behinderte sowie die unteren Einkommensgruppen der Selbständigen.

Bei der Gruppe der Behinderten soll es nach dem Willen der jetzigen Bundesregierung Kohl drastische Einschnitte ins soziale Netz geben: Verschlechterung des Kündigungsschutzes für Schwerbehinderte, Kürzung des Schwerbehinderten-Urlaubs, Anrechnung der Kuren auf den Zusatzurlaub und vieles mehr.

Wie sich der Sozialabbau insgesamt bereits ausgewirkt hat, beschrieb der Sozialpolitiker der SPD-Bundestagsfraktion Egon Lutz im Mai 1986 wie folgt:

»Der Sozialabbau der Regierung Kohl hat zu einer neuen Armut geführt. Durch Kürzungen von Sozialleistungen und Anhebung von Sozialversicherungsbeiträgen wurden die sozial Schwächeren in großem Umfang belastet ... Mitte 1985 haben nahezu 40 Prozent (der Arbeitslosen) überhaupt keine Leistungen mehr aus der Arbeitslosenversicherung erhalten. Nur noch rund ein Drittel aller Arbeitslosen bezog Arbeitslosengeld« – im Juni 1981 waren es noch 52 Prozent –, »und zugleich sank das durchschnittlich gezahlte Arbeitslosengeld um annähernd 4 Prozent ..., obwohl die durchschnittlichen Lebenshaltungskosten im selben Zeitraum um 5,8 Prozent gestiegen sind.

Als Folge der Massenarbeitslosigkeit und des Sozialabbaus ist die Zahl der Sozialhilfeempfänger insgesamt auf 2,6 Millionen gestiegen, davon sind rund 350 000 ohne Arbeit. Wegen der Dunkelziffer bei der Sozialhilfe, die auf rund 50 Prozent geschätzt wird, dürfte es doppelt so viele Bedürftige geben, wie die amtliche Statistik ausweist. Allein die Zahl der Personen, die laufende Leistungen vom Sozialamt erhalten, hat sich seit 1981 um mehr als 500 000 auf gut 1,8 Millionen erhöht ...«

Doch dies alles, was sich unter der Rubrik »neue Armut« zusammenfassen läßt und weitgehend eine Folge der auf Sozialabbau ausgerichteten Politik der Regierung Kohl ist, stellt nur die eine Seite der Medaille dar.

Die andere Seite, die Begünstigung der Reichen, sieht so aus: Durch das Steuersenkungsgesetz erhalten die Steuerzahler in zwei Stufen – 1986 und 1988 – zwar insgesamt eine Entlastung um fast 20 Milliarden DM, doch sind diese so sozial ungerecht wie irgend möglich verteilt, denn sie kommen in erster Linie den Beziehern hoher und höchster Einkommen zugute. Verheiratete Durchschnittsverdiener können nur mit einer Entlastung von etwa zwölf DM monatlich rechnen. Obwohl die Steuerlast von Spitzenverdienern, die eine Million DM und mehr im Jahr kassieren, nur rund 20mal so hoch ist wie die des Durchschnittsverdieners, fällt ihre Entlastung 50mal höher aus. Die Erhöhung des Kinderfreibetrags bringt dem Spitzenverdiener eine etwa 22mal höhere monatliche Entlastung als dem Durchschnittsverdiener.

Doch auch das ist noch keineswegs alles, was sich die »Wende«-Regierung Kohl bislang an unsozialer Steuergesetzgebung geleistet hat: Selbst die geringfügigen, oft schon durch erhöhte Beiträge zur Kranken- und Sozialversicherung ausgeglichenen oder gar in ihr Gegenteil verkehrten Steuererleichterungen für Bezieher von Durchschnittseinkommen waren im Grunde eine Täuschung, denn zum 1. Juli 1983 wurde die Mehrwertsteuer um einen Prozentpunkt angehoben.

Da diese Steuer letztlich von der Masse der Verbraucher aufgebracht werden muß, auf die alle anderen – vom Produzenten bis zum Groß- und Einzelhandel – sie abwälzen können, werden damit die winzigen Erleichterungen bei der Lohn- und Einkommenssteuer, die den Durchschnittsverdiener erst mit drei- bis fünfjähriger Verzögerung erreichen, zunichte gemacht. Wer monatlich zwölf DM weniger Steuern vom Lohn oder Gehalt abgezogen bekommt, aber dafür bereits seit 1983 bei sämtlichen Einkäufen ein Prozent mehr indirekte Steuern zu bezahlen hat, mag sich selbst ausrechnen, ob ihm wirklich eine »Erleichterung« zuteil geworden ist.

Ganz anders war die Behandlung der Unternehmer durch die Regierung Kohl: Was die Erhöhung der Mehrwertsteuer an zusätzlichen Einnahmen bringt, annähernd acht Milliarden DM, wurde denen, die von der Steuersenkung ohnehin am meisten profitieren, als zusätzliches Steuergeschenk zuteil. Das mehrstufige Programm der Regierung Kohl zur Senkung der Unternehmenssteuern kostet nämlich ebenfalls rund acht Milliarden DM – durch massiven Abbau der Gewerbesteuer im Haushalt 1983, durch Senkung der Vermögenssteuer im Haushalt 1984, und vom 1. April 1985 an noch durch Vergünstigungen bei den Abschreibungsmöglichkeiten für Wirtschaftsgebäude. Diese Geschenke an die Reichen führten zu Steuerausfällen in der Höhe von etlichen Milliarden für Bund, Länder und Gemeinden.

Hinzu kommt, daß die Regierung Kohl zwar mit gewaltig gestiegenen Finanzhilfen, Steuervergünstigungen und anderen Subventionen nach dem »Gießkannen«-Prinzip vorgegangen ist und dabei die Reichen weit mehr beschenkt hat als die wirklich Bedürftigen, daß sie aber keine der Krisen, in denen die Stahlindustrie, die Werften, der Kohlebergbau, das Baugewerbe und die bäuerliche Landwirtschaft stecken, auch nur ansatzweise zu lösen vermocht hat.

Die Struktur- und Existenzkrise der Bauwirtschaft hat die Regierung Kohl durch ihre Wohnungsbaupolitik sogar noch erheblich verschärft. Außerdem hat sie mit ihrer Mieten-Gesetzgebung zur schwierigen Lage vieler Mieter kräftig beigetragen. Der Wegfall preisgünstiger Wohnungen durch Umwandlung in Eigentumswohnungen oder übertriebene Modernisierung und der kleiner werdende Abstand zwischen Einkommen und Mietkosten verändern die Sozialstruktur ganzer Stadtviertel.

Im Gesundheitswesen – hier hat, wie wir bereits wissen, die Pharma-Industrie ihre Interessen mit Millionen-Spenden an FDP und Unionsparteien sowie einzelne Politiker, darunter Helmut Kohl, voll durchzusetzen vermocht – ist eine Kostenexplosion zu verzeichnen. Die Ausgaben der Krankenkassen stiegen doppelt so schnell wie ihre Einnahmen, trotz alljährlicher Beitragserhöhungen. Die durchschnittlichen Krankenkassenbeiträge der Arbeitnehmer haben bereits die Rekordhöhe von 12,4 Prozent des Einkommens erreicht. Schon jetzt ist abzusehen: Bis 1990 wird sich bei der gesetzlichen Krankenversicherung ein Defizit von rund 30 Milliarden DM ergeben, das zu erneuten Beitragserhöhungen, Leistungsminderungen und anderen Nachteilen für die wirtschaftlich Schwächeren führen muß.

Schon heute, nach erst dreijähriger Amtszeit der »Umverteilungs«regierung Kohl, hat deren rigoroser Sozialabbau in der Bundesrepublik, die zu den reichsten Industriestaaten der Welt gehört, eine ständig zunehmende »neue Armut« entstehen lassen, von der bereits etwa 8,4 Millionen Bürger betroffen sind. Alles, was der Regierung Kohl und ihrem Minister für Arbeit und Soziales dazu bisher eingefallen ist, sind dumme Sprüche. So erklärte Minister Blüm am 18. November 1984 im Bundestag:

»Es ist ein Trugschluß, von jeder kleinen Rente auf Armut zu schließen ... Ich nenne Zahlen, damit Sie mich nicht verdächtigen, ich würde schlimme Verhältnisse mit schönen Worten zudecken: 50,7 Prozent der Rentner mit weniger als 600 DM Rente im Monat haben ein Gesamthaushaltsnettoeinkommen von monatlich über 2 000 DM. Mancher Familienvater mit vielen Kindern wäre froh, könnte er mit solchem Haushaltseinkommen leben!«

Diese Zahlenakrobatik, bei der blitzschnell die Bezugsgrößen vertauscht werden, ist eine für Norbert Blüm typische Spekulation darauf, daß seine Zuhörer vielleicht nicht ganz so gescheit sind wie er, zugleich eine Infamie, weil er mit der Not vieler Altersrentnerinnen und -rentner Schindluder treibt. Denn es kommt zwar häufig vor, daß eine ältere Frau mit winziger Rente – angenommen: 475 DM monatlich – zur Tochter gezogen ist, schon weil sie sich keine eigene Wohnung mehr leisten kann, und daß die Tochter nun, weil die Oma auf die beiden Kinder aufpaßt und das Essen kocht, eine Halbtagsstelle angenommen hat und im Monat 650 DM netto verdient, während ihr arbeitsloser Ehemann etwa 900 DM monatliches Arbeitslosengeld bezieht. Dann haben sie tatsächlich zu fünft ein »Gesamthaushaltsnettoeinkommen von monatlich über 2 000 DM« – nur wird davon die winzige Rente der Großmutter nicht höher, die Armut der fünfköpfigen Familie nicht geringer. Norbert Blüm aber meint, damit mehr als die Hälfte aller Rentner als glänzend versorgt einstufen zu können, und für die übrigen, deren häufige Not nicht einmal er leugnen kann, behauptet er schlicht: »Altenarmut ist nicht Rentenarmut. Ich bestreite, daß die Ursachen von Armut in der Rentenversicherung liegen. Armut kann auch das Ergebnis von wenigen Beitragsjahren, von geringem Lohn sein« – was gewiß niemand leugnen kann, nur wäre es die Aufgabe einer sozialen Demokratie, jene sich aus der ungerechten Entlohnung der Frauen ergebenden, viel zu niedrigen Renten nicht als das Resultat eines Naturgesetzes hinzunehmen, sondern auszugleichen. Niemand könnte die Bundesregierung daran hindern, ihre Steuergeschenke an reiche Unternehmer in Rentenerhöhungen umzuwandeln, so daß keiner, der sein Leben lang hart gearbeitet und wenig verdient hat, nun auch noch im Alter darben muß. Es wäre dann nicht einmal nötig, die Versicherungsbeiträge zu erhöhen. Aber dazu meinte Dr. Blüm:

»Wir wollen die Rente lohn- und leistungsbezogen lassen ... Wir wollen nicht die Einheitsrente, die Sockelrente. Wir wollen nicht die große sozialistische Gulaschkanone, von deren Einheitsbrei jeder einen Schlag bekommt!«

Solche Rabulistik eines Mannes, der sich »christlich« und »sozial« nennt, läßt einen schaudern. Doch für die Regierung Kohl und deren Auftraggeber, die großen Bosse, ist ein scheinheiliger Sprücheklopfer wie Norbert Blüm unentbehrlich. Neben dem von ihm betriebenen drastischen Sozialabbau fällt ihm ja auch noch die Aufgabe zu, die reiche Bundesrepublik allmählich in ein Billiglohnland umzuwandeln.

Alle bisherigen Maßnahmen der Regierung Kohl, die angeblich dem »Abbau der Arbeitslosigkeit« dienen sollen, zielen darauf, in hundertjährigem Kampf gegen schrankenlose Ausbeutung mühsam errungene Rechte der Arbeiter und Angestellten Schritt für Schritt wieder abzubauen, und dazu lieferte wiederum Norbert Blüm die Begründung (am 7. Februar 1985 im Bundestag):

»Wir brauchen ein Arbeitsrecht, das nicht ein Festungsrecht ist, nämlich ein Recht für die, die drinnen sind. Wir brauchen ein Arbeitsrecht, das eingliedern hilft. Das Arbeitsrecht unter den Bedingungen der Arbeitslosigkeit muß Brücken bauen und darf nicht dazu führen, daß sich die Privilegierten, die Arbeitsbesitzer, in die Festung zurückziehen und die Beute unter sich aufteilen!«

Statt gezielt die Arbeitslosigkeit zu bekämpfen, sollen – denn das meint Blüm in Wahrheit – die »Arbeitsbesitzer« auf ihre »Beute«, nämlich ihren tariflich abgesicherten Arbeitslohn, ein wenig verzichten lernen und ihre »Privilegien«, nämlich ihre Rechte, zum Beispiel auf Kündigungsschutz, aufgeben!

Ex-Bundesminister Graf Lambsdorff in seiner gegenwärtigen Doppelrolle, einerseits Angeklagter vor Gericht wegen Bestechlichkeit und Steuerhinterziehung, andererseits FDP-Wirtschaftsexperte, sagt das gleiche wie Dr. Norbert Blüm, nur, sozusagen, unverblümter. In einem Interview, das das auflagenstarke Lügenblatt »BILD« am 29. April 1985 veröffentlichte, bot der Graf sein Rezept zur Bekämpfung der Arbeitslosigkeit an:

»Dagegen gibt es nur eine Medizin: Disziplin bei künftigen Lohnvereinbarungen. Denn für niedrigere Löhne gibt's genug Arbeit.«

Am schlimmsten, so Graf Lambsdorff, der vom Hause Flick so reich Bedachte, war und ist die Anhebung der Löhne und Gehälter in den »unteren Einkommensstufen«. Die Billiglöhne anzuheben war, so Lambsdorff, einer der »schlimmsten Fehler«, »denn die einfachste Arbeit wurde so im Verhältnis am teuersten. Die einfachste Arbeit ließ sich aber auch am besten durch Maschinen ersetzen...« Resultat: Indem man die »unteren Einkommensstufen« bei Tarifverhandlungen besonders berücksichtigt und den darin Eingestuften Lohnerhöhungen verschafft hat, hat man sie arbeitslos gemacht...

»Der Zynismus des Arguments wird ... erst richtig deutlich«, hat Hans Uske in seiner Untersuchung »Die Sprache der Wende« dazu angemerkt, »wenn wir uns in die Zukunft versetzen und annehmen, Lambsdorffs Rezept wäre bereits verwirklicht. Bei diesem Experiment müssen wir einige Überlegungen beiseite lassen, zum Beispiel ... die Tatsache, daß Löhne gleichzeitig Kaufkraft, Steuern und Sozialversicherungsbeiträge bedeuten ... Nehmen wir also an, die Löhne seien gesenkt worden, sagen wir: um 20 Prozent ... Sofort sinken die Kosten der Unternehmer in den lohnintensiven Bereichen, dort wo viele Arbeitskräfte nötig sind. Die Verlockung, Maschinen anzuschaffen, wird geringer ... Dank der Wende-Regierung könnten wir endlich wieder mit den Computern konkurrieren. Die meisten Leute wären ärmer, einige sogar sehr viel ärmer, aber viele hätten wieder Arbeit ... Nun gehört aber zur Wirtschaftsplanung der Bundesregierung die Förderung des technischen Fortschritts: Milliarden fließen in EDV-Forschung und Computer-Entwicklung, in Europa blüht das ›Eureka‹-Projekt, Großkonzerne engagieren sich im Elektronikmarkt. Dieser geballte Einsatz muß sich bezahlt machen ...

Was tun wir jetzt? Die vernünftigste Lösung: Unsere Arbeitskraft muß noch billiger werden, außerdem lernen wir noch besser computern, und dann müssen wir noch billiger werden und dann – leben wir in einem Billiglohnland, das immer größeren *gesellschaftlichen* Reichtum produziert. Für ›die Wirtschaft‹ ... – den Interessen der Arbeiter und Angestellten entspricht das nicht ... Und wenn die nächste konjunkturelle Krise kommt und wenn durch die rasante Entwicklung des technischen Fortschritts die Arbeitslosenzahl weiter ansteigt – dann wird diese Sorte von Vernunft darauf nur eine Antwort wissen: Das Opfer der Bevölkerung war nicht groß genug, der Gürtel muß noch enger geschnallt werden.«

Allerdings steht der Verwirklichung der Absichten unserer großen Bosse und der von diesen mit Millionenspenden geförderten »Wende«-Politik der Regierung Kohl etwas im Wege: die Einheitsgewerkschaft DGB und die in diesem Bündnis zusammengeschlossenen Industrie- und anderen Gewerkschaften. Solange sie kampf- und streikfähig sind, dürfen wir hoffen, daß dem von der Regierung Kohl im Auftrage der Konzerne betriebenen Abbau von Arbeitnehmerrechten und -schutzbestimmungen Grenzen gesetzt sind. Folgerichtig hat die Regierung Kohl, kaum daß sie durch den Wählerbetrug der FDP an die Macht gekommen war, die Schwächung der Gewerkschaften auf ihr Programm gesetzt und systematisch zu betreiben begonnen. Ihr erstes Ziel war, die Gewerkschaften in ihrer Streikfähigkeit zu schwächen und damit das Grundrecht auf Streik als legitimes Kampfmittel der wirtschaftlich Schwächeren auszuhöhlen. Durch eine Änderung des Paragraphen 116 Arbeitsförderungsgesetz (AFG) sollte zunächst einmal die Durchsetzungsfähigkeit der Gewerkschaften in der Tarifpolitik beendet werden. »In ihrem Kampf für eine gerechtere Verteilung der Arbeit durch Arbeitszeitverkürzungen«, heißt es dazu im Düsseldorfer Manifest des DGB, mit dem zu Massendemonstrationen unter dem Motto »Verteidigt das Streikrecht! Sichert die Demokratie!« aufgerufen wurde, »konnten die Gewerkschaften das Tabu der 40-Stunden-Woche gegen den Widerstand der Arbeitgeber und gegen den erklärten Willen der Bundesregierung brechen. Während dieses Arbeitskampfes haben in der Metallindustrie 55 000 Arbeitnehmer gestreikt. 170 000 Arbeitnehmer wurden in den umkämpften Tarifgebieten ausgesperrt. Über 300 000 Arbeitnehmer wurden bundesweit kalt ausgesperrt. Das heißt: Von zehn Arbeitnehmern, die in den Arbeitskampf einbezogen waren, waren neun ausgesperrt und einer streikte. Die Arbeitgeber haben durch massenhafte Aussperrungen im umkämpften Tarifgebiet bundesweit kalte Aussperrungen verursacht oder willkürlich herbeigeführt – und diese Praxis wollen sie sich in Zukunft von den Sozialämtern bezahlen lassen. Sie wollen mit der Existenzangst der Arbeitnehmer und ihrer Familien Tarifpolitik machen. Wenn Gesetz wird, was die Arbeitgeber wollen und die Regierung vollzieht, wird das Streikrecht zwar auf dem Papier erhalten bleiben, aber in der Praxis bis zur Unkenntlichkeit verstümmelt sein.«

Dennoch wurde die Änderung des Paragraphen 116 AFG gegen den millionenfachen Protest der organisierten Arbeitnehmer von der Regierung Kohl durchgepeitscht. Die Rücksicht auf ihre Geldspender war größer als ihr Respekt vor den demokratischen Grundrechten. Unter Federführung von Minister Blüm wurde mit den Stimmen von CDU/CSU und FDP der Paragraph 116 AFG im Sinne der Konzernherren abgeändert, der Massenprotest der Gewerkschaften als »Druck der Straße« diffamiert und abgetan.

Die Zeitschrift »Soziale Ordnung«, offizielles Organ der CDU-Sozialausschüsse, warf daraufhin die Frage auf, »mit wem Helmut Kohl eigentlich Kanzler bleiben will«. Der Chefredakteur dieser Zeitschrift, Lutz Esser, erklärte: »Die Änderung des Paragraphen 116 AFG war so überflüssig wie ein Kropf«, und er nannte die winzigen Zugeständnisse, die den Gewerkschaften schließlich noch gemacht wurden, insbesondere die vorgesehene Schiedsstelle, »ein Produkt aus Schilda«.

Umgekehrt äußerte Graf Lambsdorff vollste Zufriedenheit und meinte, mit den kleinen Korrekturen, die der Arbeitnehmerseite am Ende noch bewilligt worden seien, ließe sich leben. Im Klartext: Das »Anti-Gewerkschaftsgesetz«, wie es der DGB-Vorsitzende Ernst Breit genannt hat, entspricht durchaus den Forderungen der Konzernherren, deren ganzes Bestreben darauf gerichtet ist, die Gewerkschaften vor allem tarifpolitisch handlungsunfähig zu machen.

Tatsächlich hat die Regierung Kohl mit der von ihr durchgesetzten Änderung des Streik-Paragraphen 116 AFG einen der dringendsten Wünsche ihrer Geldgeber erfüllt. Über die Verfassungsbeschwerde des DGB ist noch nicht entschieden, und so gibt es derzeit nur noch ein sicheres Mittel, die Streikfähigkeit der Gewerkschaften wiederherzustellen: den derzeitigen Regierungsparteien CDU/CSU und FDP so viele Wahlniederlagen zu bereiten, daß neue Bundestags- und Bundesrats-Mehrheiten die im Frühjahr 1986 durchgepeitschte arbeitnehmer- und demokratiefeindliche Gesetzesänderung wieder rückgängig machen können. Dazu haben sich die Sozialdemokraten, aber auch die Grünen bereits verpflichtet, sobald sie, einzeln oder gemeinsam, über die erforderliche Mehrheit verfügen.

Gelingt es aber nicht, Kohl & Co abzuwählen, dann steht ein weiterer Abbau von Arbeitnehmerrechten bevor. In den Schubladen des Ministers Blüm liegen bereits die nächsten Gesetzentwürfe bereit. Nur der Massenprotest gegen die Änderung des Streikparagraphen 116 AFG hat Norbert Blüm und dann auch Helmut Kohl dazu bewogen, die nächsten Wahlen abzuwarten und erst danach, falls die arbeitnehmerfeindliche Mehrheit dann noch vorhanden ist, neue Schläge gegen die Arbeiter und Angestellten sowie gegen deren gewerkschaftliche Organisationen zu führen. Geplant sind:

- eine Änderung des Betriebsverfassungsgesetzes zum Nachteil aller Beschäftigten;
- die Schwächung der Stellung der Betriebs- und Personalräte;
- der »Ausstieg« aus der paritätischen Mitbestimmung im Montanbereich;
- ein weiterer Abbau des Kündigungsschutzes sowie
- ein ganzer Katalog von Einzelmaßnahmen, die sämtlich darauf abzielen, die wirtschaftlich Abhängigen mehr und mehr zu entrechten und sie der Willkür der großen Bosse auszuliefern.

Begleitet werden diese gegen die Arbeitnehmer und ihre Gewerkschaften gerichteten Pläne von zahlreichen Gesetzesvorhaben, die die Bundesrepublik in einen Überwachungs- und Polizeistaat zu verwandeln drohen. Dazu gehören die erklärten Absichten Kohls und seines Innenministers Zimmermann, das Demonstrationsstrafrecht zu verschärfen, die Verfassungsgarantien abzubauen, die Überwachung und Kontrolle der gesamten Bevölkerung drastisch zu verstärken, den Datenschutz einzuschränken und durch legalisierten Datenaustausch, die Einführung maschinenlesbarer Personalausweise sowie durch personelle Verstärkung der Polizei und Geheimdienste, durch weitreichende Vollmachten und die paramilitärische Bewaffnung polizeilicher Sondereinheiten einen konservativen »Ordnungsstaat« mit »gläsernen Bürgern« zu schaffen.

Zum willkommenen Vorwand für alle diese Maßnahmen, mit denen die demokratischen Freiheiten nach und nach beseitigt, die staatsbürgerlichen wie gewerkschaftlichen Rechte drastisch eingeschränkt werden sollen, dienen Kohl und Zimmermann sowohl das Wiederaufleben des Terrors einer Handvoll blindwütiger Einzelgänger als auch jede Gewaltanwendung einer kleinen Minderheit von Radaubrüdern und Chaoten am Rande disziplinierter, absolut friedlicher Massendemonstrationen.

Dabei drängt sich der Verdacht auf, daß solche Vorwände nicht selten von bezahlten Provokateuren und V-Männern der Geheimdienste auf behördliche Bestellung hin prompt geliefert werden. Dazu meldete sich am 28. Juli 1986 der Rechtsanwalt und Notar Frank Teipel im »Spiegel« zu Wort:

»Es sind nicht *nur* Chaoten, die den Rechtsruck und den Schrei nach Änderung des Demonstrationsrechts bewirken, sondern es sind Politiker der äußersten Rechten, die die Gewalt auf Demonstrationen nicht nur *wollen,* sondern auch *bestellen* ... Ich selbst habe in Berlin erlebt, daß acht Vermummte aus einem Polizeibus stiegen, sich unter die Demonstranten mischten und vom Zentrum des ›Chaotenflügels‹ aus Straftaten gegen ihre eigenen Kollegen von der Polizei zu begehen anfingen. Der Täter von Krefeld« – ein als V-Mann entlarvter Steinewerfer – »war nicht etwa die Ausnahme, sondern die Norm ... Nicht erst nach Celle« – wo im Auftrag des Verfassungsschutzes ein »terroristischer« Sprengstoffanschlag verübt wurde – »können wir nicht mehr wissen, ob es staatlich bestellte oder ›private‹ Straftäter sind, die die Eskalation der Gewalt besorgen ... Sehen wir einmal von der Tatsache ab, daß die Herren Kohl und Zimmermann zumindest objektiv Straftatbestände erfüllt haben (Meineid oder uneidliche Falschaussage) und deshalb nicht gerade als geeignet angesehen werden können, die überwiegend rechtstreue Bevölkerung vor Rechtsbrechern zu schützen. (Auch) wer Kernkraftanlagen als Politiker initiiert, obwohl er um ihre *möglichen* furchtbaren Folgen für Mensch und Natur weiß, nimmt die Folgen seines Handelns, d. h. unter Umständen millionenfaches Siechtum und Tod, zumindest billigend in Kauf. Strafjuristen haben dafür den Begriff des bedingten Vorsatzes ...«

Und damit wären wir bei einem Punkt, der bei der Betrachtung des »Gruselkabinetts« Kohl-Genscher-Zimmermann häufig übersehen wird: Von München aus regiert ja ständig einer mit, auf den der strafrechtliche Begriff vom bedingten Vorsatz geradezu maßgeschneidert zu sein scheint; der oft genug erklärt hat: »Mir ist es wurscht, wer unter mir Kanzler ist!«; der vom Großen Geld, nicht zuletzt von Flick, aus guten Gründen noch reichlicher bedacht worden ist als selbst Helmut Kohl, und der, ohne selbst dem Bundeskabinett anzugehören, heute mit allen Merkmalen des Altersstarrsinns die Richtlinien der Politik kräftig mitzubestimmen trachtet: Franz Josef Strauß.

Ihm, zu dessen Spezis und Duzfreunden alle großen Bosse der Rüstungsindustrie zählen, ist es zuzuschreiben, daß einige der unsinnigsten und gefährlichsten Projekte gegen den Protest der Bevölkerungsmehrheit, quer durch alle Parteien, rücksichtslos weiterverfolgt werden, als da sind:
– der Bau der äußerst gefährlichen und – wenn man keine eigenen Atombomben herstellen will – auch

überflüssigen Plutonium-Wiederaufbereitungsanlage (WAA) bei Wackersdorf;
- die eilige Zustimmung der Regierung Kohl zu Ronald Reagans Plänen für einen »Krieg der Sterne«, samt Unterzeichnung eines SDI-Geheimabkommens. Dadurch wurden einerseits die Chancen für erfolgreiche Abrüstungsverhandlungen mit Moskau verschlechtert, andererseits hat die Rüstungsindustrie in und um München keineswegs die erhofften Milliardenaufträge erhalten, sondern mußte sich – wie MBB – mit einem besonders kleinen Trostbonbon begnügen;
- das Beharren auf »Rechtsansprüchen«, wie zum Beispiel denen auf »die Grenzen von 1937« und auf »Wiedervereinigung«. Damit will Strauß, der von sich selbst gesagt hat: »Ich bin ein Deutschnationaler und verlange unbedingten Gehorsam!«, die Regierung Kohl/Genscher zurück auf die Positionen des Kalten Krieges drängen – in erster Linie im Interesse der ihm eng verbundenen Rüstungsindustrie, für die Frieden und Entspannung seit eh und je Reizworte sind, Konfrontation und ständige Kriegsgefahr hingegen gute Geschäfte bedeuten.

»Frieden schaffen mit immer weniger Waffen!« – mit diesem Slogan ging Helmut Kohl erfolgreich auf Stimmenfang, weil er wußte, daß die überwältigende Mehrheit der Bundesbürger einen sicheren Frieden herbeisehnt und Abrüstung in West und Ost fordert. Doch statt weniger Waffen, wie Kohl uns versprochen hatte, bescherte er uns die sogenannte Nachrüstung. Wir bekamen noch weit mehr Waffen, mit dem Resultat, daß wir nun noch weit mehr bedroht sind als zuvor. Denn nicht nur die USA haben unser Land mit neuen Erstschlags-»Pershings« bestückt – und zwar mit einer noch weit größeren Anzahl als ursprünglich vorgesehen –, sondern nun richten sich auch zusätzliche Atomraketen mit noch kürzerer Flugzeit von Osten her gegen die Raketenstützpunkte in der Bundesrepublik. Wie leicht vorauszusehen war, hat die sowjetische Seite die amerikanische Herausforderung umgehend beantwortet.

Kanzler Kohl, der sich gegenüber Washington als der dienstbeflissenste Befehlsempfänger hervorzutun trachtet, hat sein Versprechen, »Frieden schaffen mit immer weniger Waffen«, ins Gegenteil verkehrt: Nach drei Jahren »Wende« ist unser Land das mit Atom-, Giftgas- und anderen Massenvernichtungswaffen am dichtesten bestückte Territorium der ganzen Erde! Infolgedessen ist es auch das am meisten bedrohte Gebiet der Welt, auf das sich mehr Atomraketen aus Ost und West richten als auf irgendein anderes Land. Im Fall eines – selbst eng begrenzten – atomaren »Schlagabtauschs« der Supermächte gäbe es für uns, gleichgültig wie der Konflikt ausgeht und wer am Ende »siegt«, nur die vollständige und endgültige Vernichtung.

Um so verwerflicher ist es, daß die Regierung Kohl auf jeglichen eigenen wie auch europäischen Handlungsspielraum verzichtet und sich dem Mann im Weißen Haus auf Gedeih und Verderb ausgeliefert hat. Die von früheren Bundesregierungen – von Adenauer bis Willy Brandt und Helmut Schmidt – mühsam errungenen Mitspracherechte und Handlungsspielräume wurden von Helmut Kohl – dessen Unfähigkeit ja selbst von seinen langjährigen Förderern und Geldgebern nie bezweifelt worden ist – leichtfertig preisgegeben.

Diejenigen, die als die Herren des Großen Geldes und der Atom- und Rüstungsindustrie die konservative »Wende« langfristig geplant, vorfinanziert und schließlich herbeigeführt haben, sind mit dem Resultat keineswegs unzufrieden:

Kohls »schneidiger«, in jedem Land mit funktionierender Demokratie längst gefeuerter Verteidigungsminister Manfred Wörner rüstet fleißig weiter, vergeudet

Abermilliarden und bemüht sich, alle Pannen zu vertuschen, für die er verantwortlich ist, auch die mit »bedingtem Vorsatz«, weil in Kenntnis der vorhandenen gefährlichen Mängel »billigend in Kauf genommenen« »Tornado«-Abstürze mit Todesfolge . . .

Kohls Polizeiminister Fritz Zimmermann bereitet den totalen Polizei- und Überwachungsstaat vor und hat – bis zu seiner Ablösung in diesem Verantwortungsbereich durch den nach der Katastrophe von Tschernobyl zum Weglächeln aller Atomängste der Bevölkerung eilig ins Kabinett berufenen neuen Umweltminister Wallmann – alle Wünsche der Industrie, weiterhin Profit auf Kosten

Bundesinnenminister Friedrich Zimmermann bei der Vorlage des Verfassungsschutzberichtes

der Allgemeinheit machen zu dürfen, vorbildlich erfüllt, wovon der Zustand unserer Wälder und Gewässer ebenso zeugt wie das verstrahlte Acker- und Wiesenland und die vergiftete Luft ...

Kohls Postminister Christian Schwarz-Schilling, dem die Berliner Staatsanwaltschaft »erhebliche kriminelle Energie« als »Umweltgauner« nachsagt, will – natürlich unter Beteiligung seiner Familienfirma – die Bundesrepublik vollständig verkabeln und hilft den Medienkonzernen gleichzeitig, sich des Hörfunks und Fernsehens zu bemächtigen ...

Kohls Arbeitgeber-Minister Norbert Blüm, der eifrig den Sozialabbau betreibt, die Arbeitslosigkeit nur mit faulen Sprüchen bekämpft und den geforderten Schlag gegen die Streikfähigkeit der Gewerkschaften bereits durchgeführt hat, bereitet die nächsten Schläge gegen sie schon vor ...

Kohls Finanzminister Gerhard Stoltenberg, als ehemaliger Direktor des Krupp-Konzerns darauf bedacht, fleißig zu sparen, wo es auf Kosten der Klein- und mittleren Verdiener noch etwas zu kürzen gibt, verteilt Milliardengeschenke an die Unternehmer und Spitzenverdiener ...

Kurz, die »Wende«-Regierung Kohl erfüllt alle in sie gesetzten Erwartungen ihrer Geldgeber. Sie ist eifrig bemüht, die Bundesrepublik in ein computergesteuertes, maschinenlesbares, verkabeltes und atomar voll bestücktes Billiglohnland, ein Dorado für Leute vom Schlage des »Vollblutunternehmers« Dr. Fritz Ries, umzuwandeln – mit allen Voraussetzungen dafür, daß uns die Großkonzerne noch fester in den Griff bekommen und die alle Schwächeren achtlos beiseite schiebende Ellbogengesellschaft zum obersten Lernziel hierzulande wird.

Wie fest die Konzernherren unser Land schon »im Griff« haben, wie dreist sie sich Sonderrechte anmaßen und als wie selbstverständlich die breite Masse dies bereits zu empfinden gelernt hat, zeigt die im Mordfall Beckurts zunächst ausgesetzte Belohnung in Höhe von 100 000 DM (aus der Staatskasse), die dann »durch Spenden aus Kreisen der Wirtschaft« auf die beispiellose Höhe von drei Millionen DM aufgestockt wurde. »Beträge in dieser Größenordnung«, wunderte sich sogar die liberale Hamburger Wochenzeitung »Die Zeit«, »wurden zwar schon als Lösegeld zur Befreiung von Kidnapping-Opfern aus reichen Familien bezahlt, aber noch niemals in der deutschen Rechtsgeschichte von Staats wegen aus Privatquellen dafür angeboten, daß Straftäter dingfest gemacht werden ... Zu fragen bleibt doch vor allem, ob sich der demokratische Rechtsstaat zur Erfüllung so elementarer öffentlicher Aufgaben wie der Strafverfolgung aus privaten Spenden finanzieren darf, auch und gerade, wo sie aus dem Kreis bereits getroffener oder potentieller Opfer kommen.«

Weniger vornehm ausgedrückt: Hat eine von Rowdys erschlagene und beraubte Rentnerin, hat ein von Skinheads zu Tode getrampelter Türkenjunge oder die einem Lustmörder zum Opfer gefallene Kellnerin weniger Anspruch darauf, daß der Staat sein Bestes tut, die an dem Verbrechen Schuldigen zu fassen und der Justiz zu übergeben? »Auf gar keinen Fall«, so fand auch »Die Zeit«, »darf es im Rechtsstaat so sein, daß sich der Reiche einen vorbeugenden oder nacheilenden Schutz erkaufen kann, der dem Armen vorenthalten bleibt.« Es ist aber bereits so: Für die Ergreifung der Mörder eines Siemens-Vorstandsmitglieds werden »von Privat« drei Millionen DM zur Verfügung gestellt, und weder Bundesregierung noch Bundesanwaltschaft finden etwas dabei, das Geld anzunehmen. Drei Jahre »Wende« haben Politiker und Bürger gegenüber so krassen Ungerechtigkeiten, so undemokratischer Rechtspflege und so eklatanten Verletzungen des Prinzips der Gleichheit vor dem Gesetz gleichermaßen abstumpfen lassen.

Insofern können die Erfinder der »Wende«, die Herren des Großen Geldes, mit den Leistungen von Kohl & Co zufrieden sein und mit neuen Wahlspenden »Sieges«-meldungen verkünden lassen. Doch wir, die Bürgerinnen und Bürger »dieses *unseres* Landes«, sollten auf die Siegesmeldungen dieser Regierung und ihrer Finanziers nicht mehr hereinfallen.

Was nützt es, wenn die Inflationsrate gering ist, aber die Realeinkommen auf dem Stand von 1980 stagnieren? Was hilft es, wenn eine glänzende Konjunktur die Börsenkurse in die Höhe treibt und die Konzernkassen klingeln läßt, aber das von den Bossen gescheffelte Geld nicht in neue Arbeitsplätze investiert, sondern im Ausland profitabel angelegt wird?

Wo ist der Aufschwung, wenn Abermillionen Mitbürger arbeitslos und/oder auf Sozialhilfe angewiesen sind und am Rande des Existenzminimums leben müssen?

Als Wählerinnen und Wähler müssen wir alle die »Wende«-Regierung Kohl & Co und ihre milliardenschweren Hintermänner fragen:

Wo ist der Gegenwert für den uns abverlangten Einkommensverzicht? Was soll euer Gerede von der »gestoppten Inflation«, wenn wir (trotz zeitweilig fallender Benzin- und Heizölpreise) weniger Geld zum Einkaufen haben als früher, weil die Reallöhne, die Renten und die Sozialleistungen mit dem Anstieg der Mieten und Preise nicht mitgezogen haben?

Wo ist die Sicherheit, die ihr uns versprecht, während ihr gleichzeitig unser Land durch eine weitere Anhäufung von Atomsprengköpfen, Giftgasbehältern und anderen Massenvernichtungsmitteln immer unsicherer macht? Wo bleibt die wirkliche Friedenssicherung durch Abrüstung?

Wann endlich zieht ihr die Konsequenzen aus der Katastrophe von Tschernobyl und aus den beinahe täglichen »Störfällen« bei uns und bei unseren Nachbarn?

Warum belügt ihr uns über die ständig wachsenden Atomgefahren und über die schon vorhandene Verseuchung und Vergiftung unseres Landes? Und warum tut ihr so gut wie nichts zur Rettung unserer Wälder, Flüsse, Seen und Meere, zum Schutz der Menschen und der Natur vor den Folgen der ungezügelten Profitgier einiger weniger?

Wo ist noch Hoffnung auf ein lebenswertes Leben für uns und unsere Kinder?

Auf diese und viele andere Fragen kann die »Wende«-Regierung, können Kohl, Strauß, Zimmermann, Blüm & Co keine Antwort geben, so wenig wie Genscher und Bangemann. Sie haben uns nur allerlei Sprüche zu bieten, sämtlich genauso verlogen wie Helmut Kohls »Frieden schaffen mit immer weniger Waffen«!

Allerdings können die Wählerinnen und Wähler den ebenso arroganten wie korrupten »Wende«-Politikern von CDU/CSU und FDP selbst die richtige Antwort geben – mit ihren Stimmzetteln!

»Abwählen, abschalten, abrüsten – so rasch wie möglich!« heißt die Parole, die die Voraussetzung schafft für eine soziale Demokratie, einen gesicherten Frieden und eine lebenswerte Zukunft.

Günter Wallraff:
Predigt
von unten

Taschenbuch
160 Seiten, DM 5,00

Das Buch enthält den
vollständigen Text von
Wallraffs erster
Kanzelpredigt am
1. Januar 1986 in
Hannover. Aufgrund
seiner Erfahrungen als
Türke Ali appellierte
Wallraff daran, die
Christlichkeit wörtlich zu
nehmen.

Was die Bibel unter Sklaverei versteht, erklärt Wallraff am
Beispiel der Geschichte von der ägyptischen Gefangen-
schaft: Wie der Pharao die Fremdarbeiter aus Palästina
ausbeutete, niederhielt und beschimpfte. Der Exodus, die
Befreiung aus diesen unerträglichen Arbeits- und Lebens-
verhältnissen, sei Bezugspunkt einer Theologie der
Befreiung, wie sie heute besonders in Lateinamerika und
Südafrika praktiziert werde. Wallraff nennt aber auch hiesige
Vorbilder: zum Beispiel die katholische Initiative »Kirche von
unten«. Was ihn mit solchen Christen verbinde, sei das, was
in religiöser Sprache schlicht »Nachfolge Christi« heiße.
Neben dem vollständigen Abdruck der Predigt ist ein
ausführliches Gespräch mit dem Publizisten Heinz Ludwig
Arnold abgedruckt. Unter dem Titel »Man muß die Kirche bei
ihrem Anspruch packen!« erläutert Wallraff sein Verständnis
des Christentums.

**Bitte fordern Sie unser kostenloses
Gesamtverzeichnis an!**

Steidl Verlag · Düstere Straße 4 · 3400 Göttingen